打開天窗 敢説亮話
TRAVEL
天窗出版

行走吧！旅孩

赫赤（Kaka） 著

目錄

推薦序　那Juicy的平行時空　阿翔

認識赫赤是因為網絡上的旅行群組，那時候我仍在往非洲的單車之旅途中，她仍隻身在中亞闖蕩。

甚麼「追夢」、「勇敢」這種用詞被媒體濫用了，我只覺得她很怪。畢業旅行不去日韓也不去歐洲，一個年輕女孩子一天到晚穿著民族衣服到中亞、伊朗等，一般屬於「資深」一點的背包客才選擇的「鬼地方」。

「一個女孩子去那種地方太危險！」

「給我錢我也不會去！」

「不怕被ISIS綁架嗎？」

「每晚跟不同的人上床？以性換宿？」

每逢有女孩子選擇獨自到印度、中亞、中東旅行，網上就有一大堆「正常人」湧出來炫耀自己是多麼「正常」，人家是多麼「怪」。

當這世界太多「正常人」，總是需要一些「怪人」的出現，襯托得那些正常人看起來更正常。

所以我騎單車去非洲了，赫赤去鬼地方旅行了，而我們這堆「怪人」也成為朋友了。

當赫赤找我寫序，我感覺是莫名其妙。雖然我們在差不多時間、踏足了差不多的地方，但我們有著截然不同的旅行方式，也分享了完全不同格調的故事。

「就是因為你夠熱血嘛！」

熱血？熱血跟你更是兩個宇宙吧？

直至我看了赫赤的書，我明白了。

我們之間的火花，就正因身處兩個宇宙。

我們走過了差不多的路，卻看見完全不一樣的世界。一直看，我不禁想，她去的烏茲別克真是我去的那個嗎？她遇到的亞美尼亞人跟我所認識的真是同國人嗎？

那絕對是平行時空。

而赫赤身處那時空，是有點 Juicy 的。

吉爾吉斯溫柔的白先生、烏茲別克火車上的臭男人、露出水樽尺寸JJ的亞美尼亞人（很好奇想看看）……赫赤描繪那些真實而赤裸裸（部分真的赤裸裸）的人物、那些愛恨交織的故事、那些文化衝擊與身分認同，是多麼的毫無保留、多麼引人入勝、多麼……Juicy。

觀光客去同一個地方，會看到一樣的風景；只有用心旅行的旅人，才能把去過同一地方的讀者帶進陌生的時空。

就讓赫赤用她女孩的眼睛，帶我們走進那美麗又醜陋、真實又虛偽、浪漫又 Juicy 的平行時空。

阿翔

熱血單車旅行者，著名旅遊指南 *Lonely Planet* 中文版作者之一，2018 年星晨旅遊 SOL 旅遊達人。

推薦序　陳倩

嘉嘉唸大學的的時候就已經和大部分的同學不太一樣。當同學沉迷日本、韓國文化的時候，她卻悄悄的對印度文化情有獨鍾，瞞著家人去了幾趟，回來之後就更加迷上了旅行。跟她同世代的不少幸福的香港同學一樣，畢業之後，先來一個「畢業旅行」獎勵自己。嘉嘉和同輩的不一樣是，她要去比較「冷門」的中亞，尋找民族色彩和人文風情，探索大自然的美麗。

嘉嘉的旅行也是比較率性的，和她過去一直按計劃成長和讀書的步伐完全不一樣。她買了一張單程機票「出走」，旅途中不斷的找機會和當地人聊天，參與他們的生活，了解當地文化的一鱗半爪。

本書以輕鬆的語調道出一個又一個充滿異國情調的小故事，這一篇又一篇的散文描述了作者在旅途中與眾多陌生人相遇和片刻的相聚。有朦朧美麗的邂逅、有心花怒放的時刻、有令人驚喜讚歎的故事、也有教人捏一把汗的驚險歷程。凡此種種經驗，算是了解人性的一種啟蒙吧！

在嘉嘉的筆下，再美麗的湖光山色，也必定要當地人熱情的點綴才會錦上添花。作者身體力行，道出了旅行其實不只是看風景，更重要的是在找機會與人交流，學習欣賞別人的文化，開放自己的心胸和眼界，讓自己成長！

本書以活潑生動的場景和對話來說明不同文化對宗教、民族、身分認同、政治、性別、婚姻等的看法，凸顯文化的多樣性以及這些觀點如何挑戰旅者自身的想法和觀念。嘉嘉把畢業旅行的經驗寫成一本書，紀錄了年輕的她如何踏足闖蕩遙遠的國度，尋找自我。有關旅行的文字表述見證了自我的歷練和成長。不能不提的是書中還有很多美麗的照片，尤其是有不少自拍照，象徵性地代表了她這一代的年青人強烈的自我意識和自豪感，既能夠讓年青的讀者艷羨，也一定引起他們的共鳴！

陳倩
香港樹仁大學社會學系教授及大學研究總監

推薦序　不止是旅行，而是遊歷

原人

世界很危險，但 Kaka 選擇出走了。我也愛旅行，卻不及她的遊歷，從旅行中提取經歷。畢業、工作、結婚、偶而旅行，也許是香港人的生活。Kaka 卻走出自己的路，她書中提及的中亞與中東國度，我也曾踏足，卻寫不到她的故事。

身為網台旅遊節目主持，最怕遇上過客，而不是旅客。

香港人的旅程講求「多、快、好、省」，去最多的國家，最少時間，影最好的照片，省最多的旅費。當然旅費是最次要，最重要是去得夠多的地方，打卡比體會更吸引。

節目中，遇上不少「多、快、好、省」的旅行過客，他們只會不斷講城市和國家的名字，再配上精美相片，但究竟看到甚麼，知道甚麼，他們都不太清楚，大抵只有讀出維基（中文版）的資料，不斷說「風景很靚」、「景點很得意」，掏空語言的價值，剩下空洞的形容詞。

他們徒有旅行之形，沒有旅行之實。

Kaka 的遊歷，不是複製維基或 *Lonely Planet*，而是獨一無二，有血有淚。

Kaka 永遠有驚喜，記得第一次跟她談天，在網台的直播室。她大談中東遇上的「咸濕佬」，「咸豬手總有一隻在左近」，在停車場、郊野永遠有危險的男子隨身，旅館也碰上露體狂的職員、驚為天人的「巨鵰」（陽具），她處變不驚，一切迎刃而解，我們笑得人仰馬翻。

Kaka 的旅途為何常遇上變態佬呢？

因為她的美貌？或許更重要是她深入民間。她的遊歷跟普通人的旅行不同，她是標準沙發客，愛留宿在陌生人的家中，不單省錢，也體會當地人生活。

體會的意思，不只是照片。Kaka 文以載道，從故事了解他鄉的苦難。她筆下的哈佛畢業的伊朗女生，用知識改變命運，對抗伊朗的父權社會，比起閱讀政治新聞來得有力。

中東的恐怖主義、敍利亞內戰、阿富汗塔利班，世事紛紛，看似危險，其實我們是無知。真切的體會，才會明白世界如棋局的複雜。她的書，她的文字，不只是故事，也盛載歷史。

回想我畢業時候，也有過 Kaka 的想法，在中東待數個月，但日子有功，工作繁忙，漸漸忘記初心，從俗回到「多、快、好、省」的旅行。

有人説科技發達，能否用 VR 或 Google Map 取代旅行。如果你還是「多、快、好、省」的旅行過客，或許是不錯的選擇。但當妳們看過 kaka 故事，相信妳會想起旅行初心。

我們不是旅途的過客，而是如 Kaka 般真正的旅人，重新用心和眼遊歷和經歷大地的變化。

原人（袁智仁）

活在觀塘發起人，花生台《窮遊也風流》主持。

推薦序

難忘的聲音之旅

梓豪

相信我是比較幸運的一群，因為可以親耳細聽這位小旅孩的分享。

第一次見面時，總覺得 Kaka 有點冰冷，可以算得上有點高傲。可能是因為知道她的經歷是因為一個視頻訪問，當中的她明顯是非常有自信的。一個剛畢業的大學生，照正常的方向發展，就應該先找份人工高、福利好、有前途的工作。以 Kaka 的能力和學力，勝任有餘。可能你會覺得，用不著那樣著急吧。長路漫漫，可以先去個畢業旅行，再找工作吧。星馬泰台日韓英美法加……這些國家通通都不是 Kaka 的首選。她選擇了不一樣的路，做著不一樣的事，去了不一樣的旅行。

在訪問中，那原本冰冷的感覺消失了，取而代之的是熱誠與喜樂。只要一提起她喜愛的地方，Kaka 就會如數家珍般把所經歷過的故事和你分享。我沒有去過中亞，我沒有經歷過當地人的生日聚會，但她的分享把我帶到去現場，讓我直接經驗到那一次 Kaka 在吉爾吉斯的山上參加外婆的生日會。那味道怪怪的馬奶酒、那在戶外烤全羊的壯士、那熱鬧高興的歌舞活動、那親切而帶有愛的笑容和擁抱……一切一切，都是這位赫赤旅孩的親身經歷。

人一生只有短短的數十年，試想想，當我們老了，面對一群愛聽故事的小孫兒，我們會有甚麼故事和他們分享？這個問題一直都在我腦海裏徘徊，尾隨著的，是一份擔憂。因為害怕沒有甚麼故事可以分享，因為我們把大部分時間都投放在自己不喜歡的工作之上。無他的，為了生活。但生活的本意到底如何，我們好像從來都不知道。而旅程就是讓我們好好看看別人的生活，看看生活的可能性。

Kaka 就在畢業後用了數個月來體驗這個世界，變更的不只是生活態度，更是那重要的心靈。

如果你有幸和我一樣，看到或者聽到 Kaka 的分享，希望你也會有超越了文字和聲音的經歷。

梓豪
香港電台《遊學全世界》節目主持。

推薦序

從遠方反思故土

薯伯伯

十多年前我去巴基斯坦旅行，因為腿部跖骨受傷，打石膏後便在罕薩谷（Hunza Valley）休養一個月。每次外出購物，一名村民總會跟我打招呼，說的卻是日語：「Konnichiwa!」我跟他說我是香港人，他就說聲抱歉。第二天我又見到他，他大概覺得東亞人面目差不多，又用日語跟我打招呼，我再糾正他，跟他說我是香港人。

到了第三天，都已經見過他數次了，但他第一句還是說：「Konnichiwa!」

我不再糾正他，跟這名巴基斯坦人說：「Namaste!」即是印度或印度教徒常用的打招呼方法，故意不說穆斯林的「al-salam-ealaykum」。他一聽，立即修正我的說法，我不理會，他說：「我不是Namaste 啊！」我跟他說：「我也不是 Konnichiwa！」

這個對答似乎有些效果，自此以後，他每次見到我，果然不再說「konnichiwa」，而是用中文說「你好」。他似乎對香港算是有點認知，至少不會問我香港是否在日本，只是他當時跟我說的其實是nǐ hǎo，而非 nei2 hou2，我聽起來時也沒有那種「你居然懂我母語」的親切感覺，但這件事發生在 2002 年，那些年頭，境外壓力相對較少，有時也就得過且過。

赫赤說：「我非常重視自己的身分認同，一出國，每個人都是外交大使。我是香港人，有責任跟別人說明甚麼是香港人。」身分議題，往往要受到外來因素的影響，才能引起更大的反思。棲於自己家園，本來不需主動探尋身分認同，反而在旅行期間，卻要無時無刻把土地引發的個人標籤掛在嘴邊。你說自己來自香港，對方問你香港是不是在日本。你說自己是香港人，對方又問你是不是中國人。你向對方講解香港人、中國人、華人、漢人的細微分別，從政治、文化、血裔等角度多方面探討，對方似懂非懂，或根本毫不在意，但在解釋的過程，反而加深自身的省察。正正就是因為身分被誤會或甚至剝奪，才會更懂珍惜。

旅行時的吃喝玩樂雖然也重要，但多年以後回望過去，最有意義的片段，往往就是沿路的內省。當我們擔憂自己的身分岌岌可危，卻發現在土耳其的庫爾德人，處境比我們更差，其身分一直不被認同，土耳其政府更拒絕以庫爾德人來稱呼他們。卡拉卡爾帕克斯坦人，雖然身處烏茲別克斯坦，但同樣強調自己身分的獨特本質。有時我們以為世上沒有人能夠明白香港人的心態和處境，卻驚覺宇宙中不同角落，均藏著大大小小的平行時空，大家活在這個星球上，原來並不孤獨。

赫赤讀社會學畢業，她說自己有時會戴著「社會學的有色眼鏡」去觀看世界，我讀遊記文章，往往就是想窺見別人眼鏡下的視野，與自己有何區別。最好的旅行，不是拍照打卡刷存在感，而是在旅途練出勇氣，養出淡定。旅行追求的不只是吃喝玩樂，而是對當地的貼地體會。最好的學習，不是書上理論，而是親身體會。最有價值的行程，不是奢求獵奇刺激，更要從遠方反思故土，從他方窺見我城。在赫赤旅孩的旅遊實踐上，我找到這種共鳴。

不過話說回來，我本來以為只有漂流到異國他鄉，才能堅定身分認同，誰又想到數年之間，香港人不用走出家門，只需停留在原以為熟悉不過的家園，便能每天被迫著去反思自身認同這種深層次的社會學議題。

書於西藏拉薩風轉咖啡館

2018 年 2 月 22 日

薯伯伯

於西藏拉薩經營風轉咖啡館，著有《風轉西藏》、《北韓迷宮》。

自序　行前的我

我有三個「我」。

一個不斷鼓勵我：「你要出走！趕在皺紋跑出前流浪流浪。」

一個嘗試勸服我：「你媽媽不喜歡你如此任性出走。你已經去過好幾個地方，還玩不夠嗎？還是乖乖找工作吧！不要再吊兒郎當，浪費時間。你出走以後，也不一定對你將來工作有幫助。」

第三個說：「你要想清楚心裏到底想要甚麼？」

坦白說，我很迷茫。

小學的我，早上上學，下午回來看《至Net小人類》，期待動畫環節，最愛《婚紗小天使》和《數碼暴龍》；要不就跟同學們駁「三奶」一起玩「彈水阿給」，接著被母親狠罵幹嗎不去溫習；晚上趁母親上班，我就看《大長今》。上中學後，聽著側田和衛蘭溫柔的聲線，跟心儀同學在MSN上曖昧一番。母親擔心我過早談戀愛，總是不讓我外出。她不喜歡我的齊瀏海，可我硬要剪得MK味濃才停手。我把閒餘時間都安排在排球校隊訓練上，她卻擔心我不專注學業。上到高中預科，我經歷了最後一屆會考和高考。當時，連吃晚飯都彷彿浪費時間。後來，我順利入讀大學，整天被家人灌輸「畢業後要做政府工」，鐵飯碗啊！

跟許多人一樣，生活彷彿是預定的劇本，沒有驚奇，平淡而充實。

來到此刻，我畢業了。但我根本無法決定何去何從，還未預備踏進社會。我怕空虛，要在社會漫無目的地打滾，被人當成可有可無的一環齒輪，用時間換金錢。如同空殼的生活，從不是我的願景。我又眼見香港每況愈下的政治環境，令人迷失的物質主義，認為終有一天我會離開香港。我曾萌生一個想法，尋找一個快樂的國度工作，甚至移民。另外，我有一個穆斯林男朋友。在我們談婚論嫁前，我打算感受穆斯林的精神生活，再決定會否信奉伊斯蘭教，要不，我就只能跟他分開。我在不同的迷茫之間遊走，努力尋找答案。

我在想，趁自己沒錢、沒工作、沒負擔時，勇敢地把年輕時的白日夢與幻想實現在眼前，也不過是用人生百分之一的時間去實踐，應該不過分吧？我想為自己人生作主。我想打開我的心，擁抱不確定。

想起中學暑假時，在電視看到的紀錄片。攝製隊走入深山，尋找住在毯房裡的遊牧民族，窺探他們的文化習俗。那時我在想，長大後，要像他們尋找民族的蹤跡。結果，還未大學畢業，已經按捺不住，先後到訪了西藏、尼泊爾、印度和斯里蘭卡。那似是遙不可及的夢，如今如此接近。

我喜歡遊牧民族，喜歡民族色彩。

我喜歡伊斯蘭建築，迷戀寒冷壯麗高山。

我喜歡跟當地人聊政治、歷史、文化和哲學。

我想看看人家的生活，給自己一個答案。

有人說戲如人生。待在熟悉的土地，過著 copy & paste 的日子，我一點都不認為自己的人生能有如何的戲劇變化。

我喜歡旅行，但從不會計劃行程。活了二十多年，我的計劃總是泡湯。或許旅行像是一場鬧劇，我總是遇上戲劇性的變化，刺激得令人渾身麻痺，過後更精力充沛上路。旅行時，我就是主角，再誇張、再荒謬、再不可思議的情節也讓我碰上。那刻我才發現，我應該活在路上。我更渴望未來的挑戰。

我是自己人生的設計師，我是這場戲的主角。雖然我不知道結局如何，但是人生的歷練過程將是我最寶貴的一課。

就用一場旅行梳理混亂的思緒。

2016 年 6 月 20 日，我買了一張單程機票，六天後啟程到哈薩克。

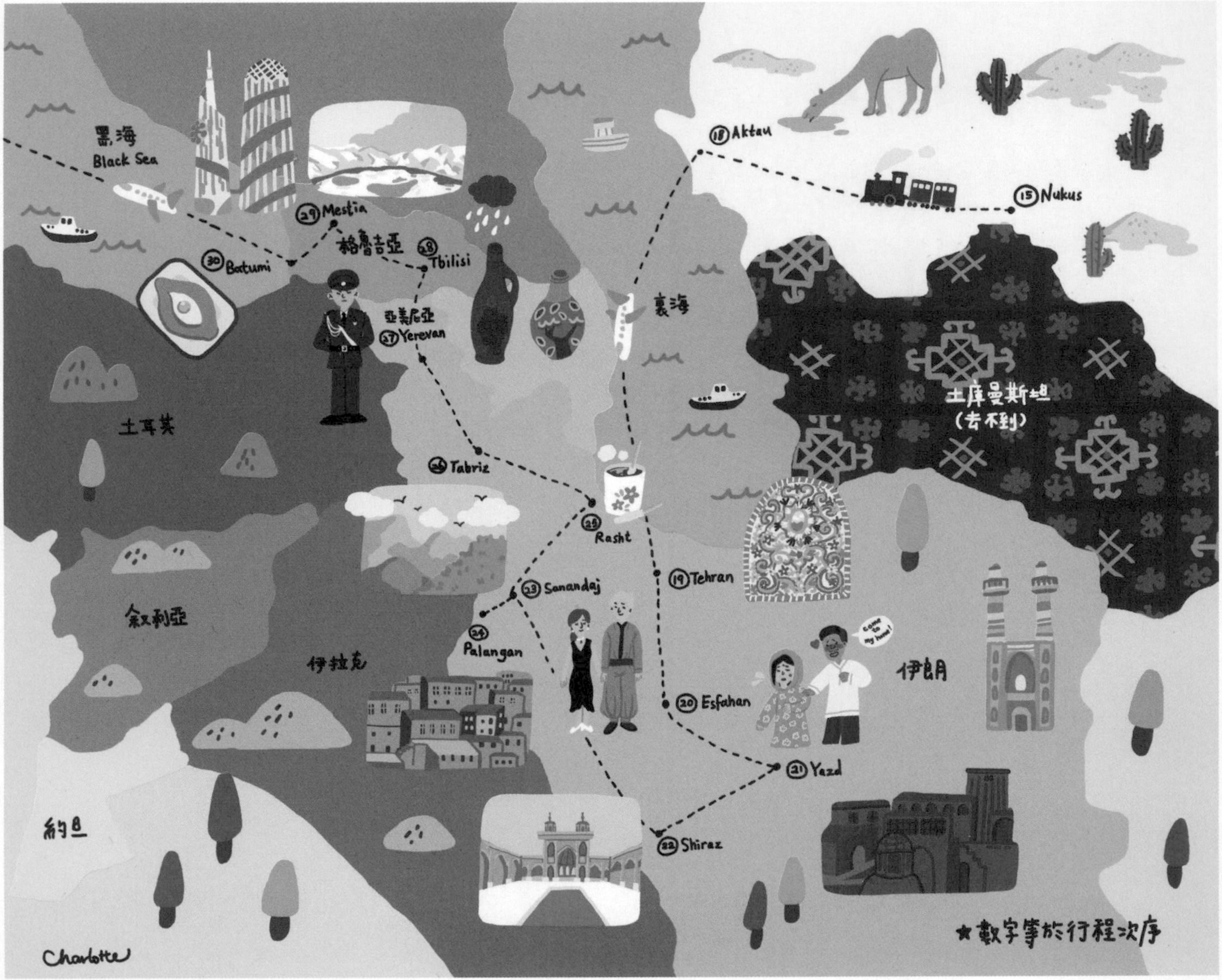
黑海
Black Sea
⑱ Aktau
⑮ Nukus
㉙ Mestia
格魯吉亞
㉘ Tbilisi
㉚ Batumi
亞美尼亞
㉗ Yerevan
裏海
土庫曼斯坦
(去不到)
土耳其
㉖ Tabriz
㉕ Rasht
㉓ Sanandaj
⑲ Tehran
㉔ Palangan
敘利亞
伊拉克
come to my home!
伊朗
⑳ Esfahan
㉑ Yazd
約旦
㉒ Shiraz
★數字等於行程次序
Charlotte

旅孩行走地圖
哈薩克斯坦
烏茲別克斯坦
吉爾吉斯斯坦
塔吉克斯坦
土庫曼斯坦
(去不到)
中國
① АЛМАТЫ
Almaty
② Bishkek
③ Chopton Ata
④ Nayrn
⑤ Osh
⑥ Murgab
⑦ Yam Chun Fort
⑧ Khrong
⑨ Dushanbe
⑩ Khujand
⑪ 撒馬爾罕
Samarkand
⑫ Bukhara
⑬ Tashkent
⑭ Fergana
⑮ Nukus
⑯ Moynaq
⑰ Khiva
★數字等於行程次序
Charlotte

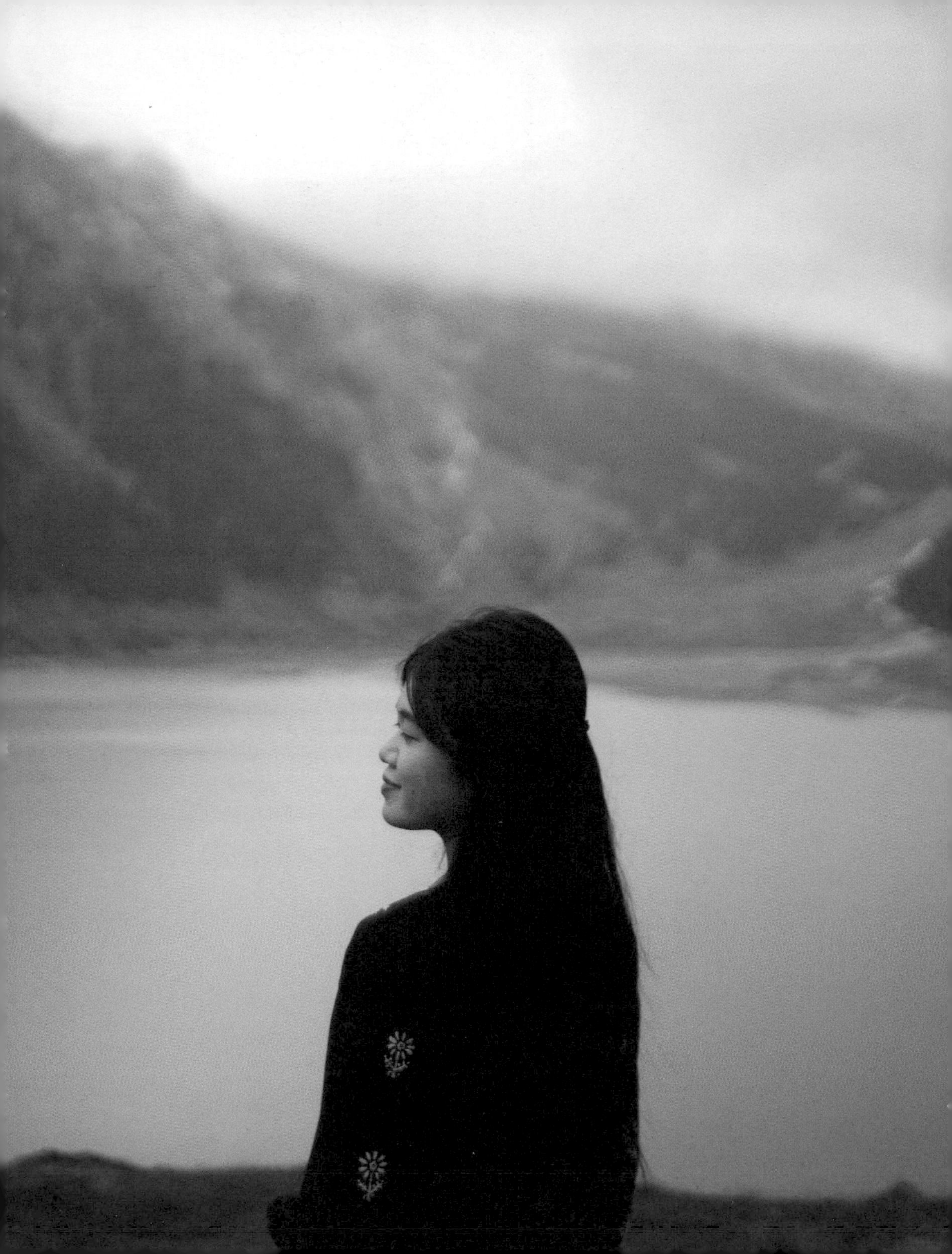

我來了亞洲露絲雅——哈薩克篇

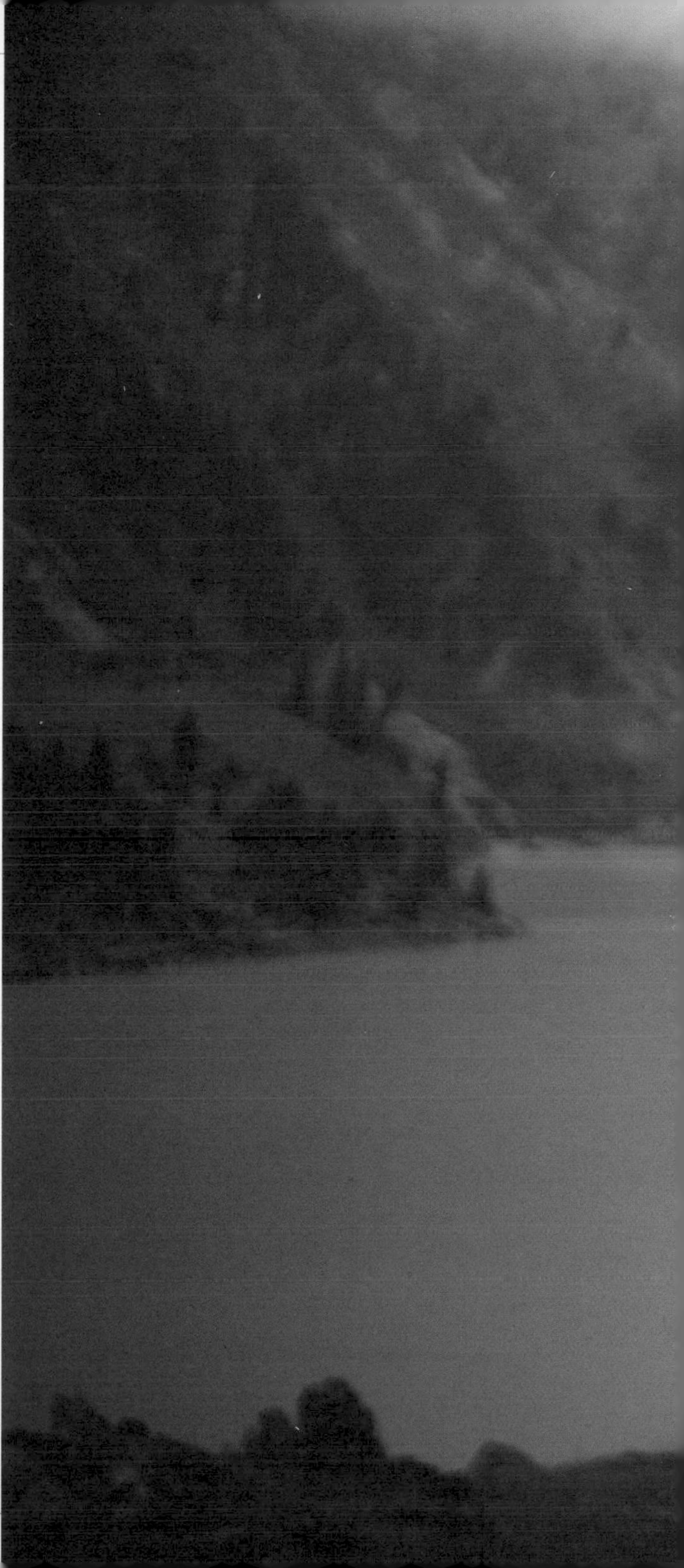

01

這兒真的是哈薩克嗎？

"Dear Passenger, we soon arrive Almaty Iternational Airport."

飛機正降落在旅程第一站。那是世界最大的內陸國家，兼全球第九大國。她擁有世界第二大峽谷，鄰近兩個著名湖泊——裏海和即將消失的鹹海。駛往夢想的道路上，急不待打開窗戶，我向一大片荒漠呼叫，嶙峋怪石向我招手；往右看，那是一直陪伴著我，燦爛無比的裏海。她由前蘇聯解體出來，穆斯林佔全國人口七成，大城市卻只散發著淡淡的伊斯蘭氣息。熱情的民眾，短短一星期已不知被多少帥哥問我取電話號。有趣的是，即使我能講一口流利英語，到這裏還是個文盲。這兒是俄語世界，骨子裏是俄羅斯思想的黃皮膚民眾。滿街歐亞混血突厥美女，如此吸引著我，探索他們的世界。這麼近，那麼遠，就在新疆旁邊而已，原來她叫哈薩克

哈薩克最大峽谷 Sharyn Canyon。

斯坦（Kazakhstan）。

相信你會發現很多國名以「斯坦（-stan）」結尾——巴基斯坦、烏茲別克斯坦、吉爾吉斯斯坦，遠至俄羅斯聯邦中也有一國叫韃靼斯坦。斯坦（-stan）一字來自古波斯語，有「聚居地」、「地方」之意。換言之，香港也可以叫作香港斯坦（HongKongstan），一堆香港人圍威喂之地也。至於「哈薩克」一字意為「心靈自由的」，所以哈薩克斯坦能解作「心靈自由之地」，同時亦有民族主義的意含，可理解為「哈薩克人的地方」。一般而言，斯坦結尾的國家多信奉伊斯蘭教，這同時反映出古波斯帝國的文化擴張，對多個民族影響深遠。

不說哈薩克語的哈薩克人

去過哈薩克兩大城市，舊首都阿拉木圖（Almaty）和石油之都阿克套（Aktau）。在阿拉木圖遊走一圈，街上一張張標緻的斯拉夫面孔、走名媛斯文路線的女神、一棟棟

哈薩克地鐵如俄羅斯地鐵一樣，從前為軍事防空洞，內部修飾得如畫。

走可愛糖果風的東正教堂，還有富麗堂皇的地下鐵，一不小心以為誤闖了俄羅斯。走入哈薩克公園，一對對哈薩克情侶拖手、接吻，我此等單身狗情何以堪？哈薩克的初印象，跟我心中的穆斯林國差太遠了。我手上的餐牌、旅客地圖，通通都是俄語。我是來錯國家嗎？哈薩克絕對是亞洲露絲雅（俄語 Russia 的譯音）。

我以前的社會學教授說過，一個民族滅亡的最後防線是語言和食物。要消滅一個民族意識，語言是第一切入點。看來前蘇聯對哈薩克施行「俄羅斯化」的魔法非常理想，我大部分哈薩克朋友竟然不講哈薩克語，日常全以俄語溝通。那，這是哈薩克嗎？

「你會嘗試說哈薩克語嗎？」我問沙發主。

「不會。當所有人都是講俄語的話，哈薩克語已經沒可用之處。」

哈薩克語，由從前古突厥字母，再被阿拉伯

字母取代，現時為蘇聯時期起沿用的西里爾字母（俄語字母）*。一種語言經歷多個階段，改變、消亡，再復興，見證著帝國主義的入侵。有時候，就像看到香港的未來。如果有天，我們下一代不會寫正體字，不願說廣東話，這還是香港嗎？語言是代表一種民族身分認同，一份民族尊嚴。如果我不會廣東話，我還是香港人嗎？

舌尖上的哈薩克

幸好，哈薩克脫離了蘇聯獨立，正努力重新尋回真正的民族身分，擺脫俄羅斯的影響力。一個國家最有民族代表性的地方，肯定是當地的大巴扎（Bazaar，意為市集），那是活生生的博物館。每個民族的味蕾不一，透過飲食文化最能發現他們獨特的民族色彩。

我沿著樓梯跑到 Green Bazaar 底層，沿途一個個繫著蘇聯式頭巾的阿姨，叫賣車輛狀的麵包，好不熱鬧。它們像新疆大膜餅，又

可愛的老闆知道我想拍照，把生果擺放好。

叫鑲（Naan），早餐時沾果醬，或在正餐時夾著羊肉、牛肉來吃，乃是哈薩克主糧。巴扎中庭有一整排小攤檔，新鮮蔬果包羅萬有，最注目的還是漂亮的攤檔老闆們。旁邊有一家店鋪堆滿一罐罐「牛奶」，樽身硬繃繃的，印著"Кымыз"一字，是有汽的牛奶嗎？後來問沙發主，原來是用新鮮馬奶發酵而成的馬奶酒。即使現代哈薩克人已有定居地，甚或是蒙古族、吉爾吉斯族等，他們的飲食文化仍滲透著昔日草原遊牧生活的影子，離不開新鮮乳製品。千年草原文化盡在一杯馬奶酒。想像在草原上手握著馬奶酒騎馬奔馳，想像跟成吉思汗在慶功宴上敬酒。

遠方的朝鮮面孔

轉角映入眼簾，是一家朝鮮泡菜店。韓國面孔的大媽用俄語叫賣，可是她的泡菜跟南韓泡菜不一樣，辣香不嗆喉，味道偏淡。或許那是北韓泡菜？韓國跟哈薩克之間隔著強國，難道韓風也吹到哈薩克去嗎？那為何沒有朝鮮大媽在香港街市叫賣？究竟朝鮮族跟哈薩克有著怎樣千絲萬縷的關係？

如此須追溯至二十世紀初。經歷日俄戰爭，及後朝鮮成為日本的保護國，大量朝鮮族人移民到俄羅斯遠東地區，自稱「高麗人」。然而，史太林擔心高麗人容易成為日本間諜，於是在 1930 年代開始流放大量高麗人到中亞，分別隔離在哈薩克及烏茲別克乾旱無比的集中營，有幾萬高麗人死於暴曬及飢餓。高麗人在蘇聯高壓歧視政策下，無法承傳韓國傳統文化及朝鮮語。同時，許多高麗人與哈薩克人通婚。今日的哈薩克朝鮮族完全不會韓語，已徹底地融入當地社會文化。不過，泡菜的味道依然流在每個高麗人的血液裏，那是無法取代的家鄉原始味道。

一個巴扎，訴說著哈薩克複雜的歷史文化淵源。這是為何我旅行時，第一個目的地一定是當地的大巴扎。

* 2017 年 4 月，當局正式宣布採用拉丁字母，2025 年將循序漸進取代現時的西里爾字母。

朝鮮族朋友。

02

Salam! 虔誠的穆斯林弟弟

在哈薩克的八天，與一對母子同一屋簷下。沙發主叫 Rasul，二十歲出頭，陽光可愛暖男，懂俄語、德語、英語、哈薩克語、土耳其語和一點點阿拉伯語。他是個虔誠的穆斯林，Salam（穆斯林間打招呼的話語，有「和平與你同在」的意思）！我最喜歡交穆斯林朋友，他們講義氣，做人真誠。Rasul 也是名副其實的住家男，屋裏的樓梯、水管、電線、床架和馬桶等等，都是自己動手裝修和維修。我早上起床，就見他做早餐、洗碗、抹地，絕對是個不折不扣的乖孩子。

一吃傾城的果莓

特別感動的是，即使是齋戒月（Ramadan），沙發主仍堅持早起為我們準備早餐。我目前發呆的城市阿拉木圖，其意思是「蘋果之城」，可是我認為「果莓之城」更貼切。

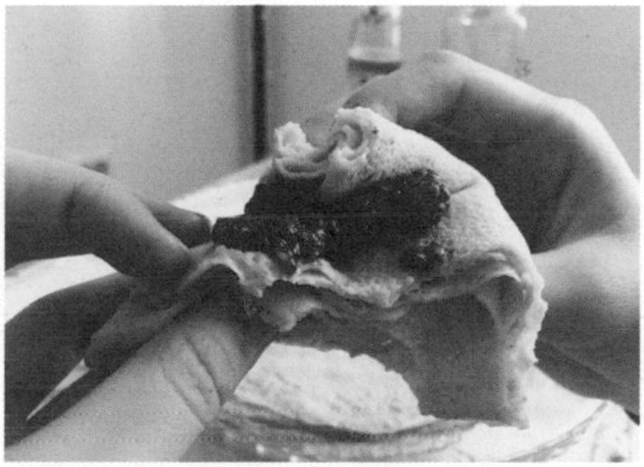

這裏，買一公斤本土新鮮草莓只需二十港元。作為果莓控，感覺置身於天堂。這天，Rasul 端出豐富果肉的自家製作草莓醬，害我垂涎欲滴。我敢說，吃過阿拉木圖的果莓醬，肯定不能回頭。他為我們煎了班戟，好讓我們沾果醬。當你咀嚼到香味滿溢的果肉時，可能真的會為了草莓嫁到哈薩克。

Rasul 除了擅長烹飪，結他也彈得出神入化，摺紙造詣更令人驚嘆萬分。打聽之下，原來都是看視頻自學的。他說 YouTube 是學習新事物的天堂，就連家居維修都是從那裏學習得來。要是我等港女裝水管，大概是打電話找士兵們幫忙，怎可能找 YouTube 老師？對他的學習能力，實在佩服萬分。可惜的是，他缺乏足夠學費完成大學課程，面臨停學。所以，現在打算把房子裝修好租出作民宿，賺取收入，讓自己重返校園。

「你們國家沒有學費津貼計劃嗎？」

「我們國家最喜歡就是貪污，怎麼會有津

貼。」

哈薩克斯坦是中亞五國之中最富有的。礦資源豐富到一個地步，打開化學元素表，大部分元素都能在哈薩克發掘到，而且更是全球第六大糧食出口國，絕對是有一定實力的國家。可是，正如 Rasul 所說，「通通都餵飽了政府官員」。

每天祈禱五小時

在齋戒月，穆斯林只能在日落後至日出前進食。有好幾天，毒辣的太陽差點把 Rasul 溶掉，但他堅持帶我們逛阿拉木圖，我見他快要中暑的樣子，不好意思就「趕」他回家；又有好幾次要行山徒步，他硬要跟過來，在缺水的情況下，他又是一副快要死的樣子，我從心佩服他的毅力。還有，由於正值齋戒月，每次祈禱時間延長至一小時，他們兩母子一天只睡兩小時，為的就是每天祈禱五次。他們是特別的哈薩克人，一般民眾不如他們虔誠。

有天，調皮的旅伴問 Rasul：「你覺得哈薩克女生美嗎？」在我心中的 Rasul 是非常正經的男人，不過，再正經的男人也是人。我跟旅伴說：「我唔信佢無眼女！」

「哈薩克女生當然漂亮。」

我不要臉的回答 Rasul：「你知道很多本地人都以為我是哈薩克人。」

「哈哈，你以後都是我的女神（Muse）。」

別以為我們在調情，其實，他經常向我訴苦，關於國家的、家庭的、學業的。所以，即使我離開哈薩克以後，他有時候也會打電話給我。我就像她姊姊一樣。

臨走時，他送我一本《可蘭經》。我相信這是他珍而重之的東西。

也象徵著這份寶貴的友誼。

03

香港小伙伴

這是一篇感謝文，非常肉麻。

掌聲鼓勵，首先有請 Samantha（Saman）！她是我的旅伴，比我小一歲，但絕不能小覷她——小時候已經獨自留學英國，學會自理生活；二十歲時，一個人在秘魯旅行一個月。她是我的讀者，在我臉書專頁特意留言，憑她一句「我不是七嘴八舌的婆娘。吃苦、睡在街上，沒問題」，我就肯定她是我需要的旅伴。我們出發一星期前才買單程機票，說走就走。接下來，同甘共苦，共度患難，多多指教。

我們第一站同遊阿拉木圖，坐纜車到達阿拉木圖的最高點，瞭望巍峨雪山，放眼看山下積木般的糖果木屋；我們同遊大阿拉木圖湖，知趣的我製造二人空間予 Saman 和她心儀的哈薩克男神，使她精神奕奕地初見哈薩克的自然之美；我們一起乘搭富麗堂皇的

（左起）Sonya、我和 Saman。

哈薩克地鐵，從地面搭扶手電梯到地底，粗略估計大概三分鐘。三分鐘足夠思考人生、化妝，或是跟男朋友吵架，可是不夠我們拍照。我衷心感謝Saman，走了一個月，不厭其煩為我不斷留影。

我的首次艷遇記

到步第三天，約好和香港著名旅遊作家Sonya見面。我們素未謀面，只知道她也在阿拉木圖。Sonya聰明、有愛心、有內涵，是我的偶像。她經營的專頁粉絲已達四萬，擅長寫作令讀者深思、反省的故事。她自己也創立了NGO，扶助中國四川涼山貧民，絕對是我的榜樣。在往後的日子，我們路線不同。她在伊朗時，我在烏茲別克；她在塔吉克時，我在格魯吉亞。儘管我們只有一面之緣，她在旅途上也會傳信息來關心我狀況，又忠告我小心當地男人。Sonya就像我姊姊一樣，會擔心她的妹妹。直到今天，回來香港已一年多，我們依然保持聯繫。時間回到始點，那天，我們約在阿拉木圖中央公園。

第一次見面，她突然說：「你們是低能兒嗎？」我以為Sonya對我有甚麼不滿。「我想玩摩天輪，我到世界各地都必須玩摩天輪，你們可以陪我嗎？」結果，我們仨坐摩天輪時，忙得喘不過氣來，爭著跟雪山先生合照。

我們路過游泳池，想查詢一下入場費。男職員解答後，主動向Sonya取手機號碼和Instagram。嘩！這是艷遇啊！我重申這是艷遇！現在，只差我還沒有。小鮮肉男職員色迷迷地望著Sonya，她送了含蓄的微笑。Sonya憤慨地說：「這裏的人以為我來自曼谷。」我答：「因為他們喜歡你的小麥膚色吧！放心，艷遇陸續有來。」

後來，我們路過一家酒吧，就進去休息一下，點了雞尾酒。職員竟然要求我們出示護照，證明自己年過十八。我們哄堂大笑。我說：「我都已經過了十八歲好幾年，現在還有人問這問題，是挑老娘的傷心事嗎？」

Sonya 爭著出示護照，因為她年近三十歲，可外表年輕，想看職員難以置信的樣子。香港人説話特別哄動，吸引到其他食客注意。突然，坐在旁邊的帥哥，遞我一部手機，要我接聽。好奇怪，這是不是詐騙？

「你好！」

「你好。」

「你是華人嗎？」

「對啊。」

「你會説漢語嗎？」

「會。不過不太流利。」

「我現在在學漢語，很高興認識你。」

下刪一堆對話。

「我的朋友好喜歡你，你可以給他電話號碼嗎？」

原來是這樣。好了，這是屬於我的第一次艷遇，她們也在偷偷地笑。

與好旅伴同遊，只是逛公園、去酒吧，也樂此不倦。一天時間過得太快，下次見 Sonya 已是四個月之後。

一道中菜走天涯

回家後，發現屋內多了一個男人。機緣巧合下，沙發主 Rasul 接待了多一位香港背包客。他是輝輝，最令我佩服的旅遊人之一。他年紀比我小一年，膽量卻比我大，曾在土耳其當半年交流生，更獨遊三十多國。我們同遊一個星期後，他去了烏茲別克繼續旅程，跟 Saman 在伊朗會合，再一直徒搭到土耳其。著名香港旅行人丹尼爾的單車旅行書上，也出現了輝輝的名字。

我們三個走在一起，一直笑個不停。有天，大家忽發奇想，去戲院看俄語電影。沒有英語配音，沒有英文字幕，我們只會三句「привет（你好）」、「спасибо（謝謝）」、

「до свидания（再見）」，隨便挑了一齣就進場去。

電影播放時，Saman早已昏睡去。我和輝輝用眼神交流，討論電影內容。整齣電影裏，我只聽懂「謝謝」一字。電影播放完畢，我們得出三種解讀。三個人看電影，得出三個故事。跟朋友去外國旅行時，選個自己聽不懂的電影看看，樂趣無窮。

當晚，我們答應Rasul煮一頓晚餐。輝輝提議做鹽焗雞、蕃茄薯仔湯、芝士西蘭花，我提議做蒸水蛋。不過，問題是沒有蒸托架，怎樣蒸？輝輝非常聰明，倒轉碗子來代替。本來我想幫忙，結果太累，回到房間睡覺。起床時，他們已經煮好了！

晚飯時，輝輝講了一件趣事。他在土耳其留學時，有晚邀請外國朋友來宿舍，做了焗雞宴客。端出佳餚試食時，不對勁！是壞雞味。他猛然想起前天宿舍大停電，放在凍櫃的大雞可能焗臭了，已經不能吃。此時，大家已吃得津津有味，形容味道奇特，還吮著手指，追問用了甚麼秘製香料。輝輝不忍心說出真相，結果跟著大夥兒一起吮。

「有肚子痛嗎？」

「沒有，相安無事。華人煮飯，亂煮一通，人家都會喜歡。」

往後，當我做飯給各地朋友，只要有爆蒜，亂煮一通，他們就連碟都給你吃進肚裏呢。

輝輝以後，等了三個月才再次遇上香港旅客。要找到志同道合的旅伴，並不是容易的事。我們珍惜彼此相處的時間，一起到 Medeo 徒步，又到世界第二大峽谷散步，更一起出發到李白的故鄉吉爾吉斯。

跟志同道合的朋友一起旅行是最幸福的事。

謝謝你們。

在森林和原野——吉爾吉斯篇

04 我的穆斯林姊姊

穆斯林每年都有齋戒月，目的是讓信徒感受飢餓，並由此克制自己的慾望，拒絕放縱，令身體和心靈得到昇華，以此更親近真主。曾經問過 Kurmanjan 白天不吃不喝會否很慘？她卻說很快樂，因為可以更親近真主，並為齋戒月快完結感到傷感。宗教的力量真不可思議。

Kurmanjan（Kurman）是我在首都比斯凱克（Bishkek）遇上的旅舍接待員，一位我不能忘記的人。那天是齋戒月最後一天，意味著開齋節的來臨，也就是穆斯林們可以開大餐了。趁著下午旅舍人流少，厚臉皮的我走到前台問 Kurman：「請問今晚你有空與我共享晚膳嗎？」她臉有難色，我心想是否嚇壞了人家姑娘。她叫我等等，然後轉身撥電話。掛電話後，走過來雀躍地告訴我：「不如你今天來我家一起慶祝開齋吧！」我心裏興奮得很，本來打算邀請她到餐廳吃九

我的吉爾吉斯姊姊 Kurman。

答應 Kurman 為她拍攝一輯寫真，向人展示穆斯林女性之美。

大篇，看來老娘的搭訕已到新境界，又可經歷有趣的事。

我等 Kurman 下班，出發到她家去。我們上了一架 Marshrutka（蘇式小巴）。原來在吉爾吉斯，只要有女生上車，在座的所有男士都會馬上站立，讓座給女性。這種紳士風度令我很驚訝。另一邊廂，我們卻整天為關愛座批鬥。事實上，誰都不能強迫誰，這種互助互愛的精神理應是自發的。

關於宗教的告白

一路上，我跟 Kurman 聊天。誠實、仁慈、有禮和謙虛，是對 Kurman 最好的形容。她告訴我，原來每天戴頭巾（Hijab）的習慣才實踐不到一年。我很驚訝，究竟有甚麼動力驅使她變得更虔誠，並且有如此重要的決定呢？

「因為有一次我遇見一個伊瑪目（Imam；伊斯蘭教的祈禱主持，地位有點像教堂裏的牧師），他以前是個沉淪的人，愛賭博，但後來得了嚴重的心臟病。由此時起，他為著自己的沉淪感到懊悔，並求阿拉原諒他。其實這個男人並沒有要求痊癒，只是希望在餘下人生閱讀《可蘭經》，再一次親近阿拉。奇蹟卻出現在數月後，醫生告訴他心臟病得到控制，不必開刀做手術。他現在身體很健康。這個男人的故事令我很感動，亦令我相信阿拉的愛。於是，我下定決心成為一個虔誠的穆斯林。」

這不就是我中學時經常聽到的基督徒經典見證嗎？只是這次由一個穆斯林口中說出來。我沒有宗教信仰，但我相信人類強烈的信念，能使最惡劣的環境出現曙光與奇蹟，而宗教往往是這種信念來源。Kurman 向我展示她二十出頭時的工作照片，沒披頭巾的她感覺有點陌生。她如之前的哈薩克沙發主般，一天禱告五次。我們坐大巴時，她亦會在狹小的座位間拜神。就算在旅舍工作，她亦堅持這樣做，即使旅舍老闆並不喜歡。

吉爾吉斯首都比斯凱克，可能過於俄羅斯化，宗教痕跡比想像中少。我問 Kurman：「你們吉爾吉斯人不都是穆斯林嗎？為甚麼旅舍老闆不能體諒你？」其實發問前，早已知道吉爾吉斯北部的人宗教狂熱程度不高，甚至只是掛名的穆斯林，不過是祖先留下來的身分指稱。後來在喬爾蓬阿塔（Cholpon-Ata），我曾問過白先生的姊姊「你們是不是穆斯林？」她答我：「我們與生俱來就是穆斯林，只是我們從來都不祈禱。」我不感到稀奇，每個人都有著個性化的宗教生活。

Kurman 老闆認為穆斯林國際形象不好，許多外國人對穆斯林反感，所以不希望她在工作期間祈禱，甚至要求她不能戴頭巾上班。就因為西方媒體經常塑造穆斯林等如恐怖主義，所以就逼她就範嗎？這不關宗教本身問題，是人們對穆斯林的偏見吧！老闆生活在穆斯林國家，難道也不明白嗎？後來因為她工作表現理想，加上能講流利英語，老闆只能妥協。我覺得 Kurman 贏得漂亮。

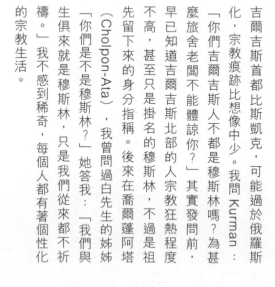

關於頭巾的問題，我問過 Kurman 會否覺得不方便，甚至有點受壓迫的感覺？我其實了解穆斯林的頭巾文化，事實上《可蘭經》並不硬性規定女穆斯林一定要戴頭巾。

「我覺得戴上頭巾後，男人都對我尊重多了，安全感多了。以前我沒戴頭巾時，有時會被人眼神騷擾。」

「你戴頭巾是因為《可蘭經》規定還是甚麼？」

「沒人逼我戴頭巾，是我自願的。那是我引以為傲的象徵，我就是女穆斯林，即使比斯凱克人不屑穆斯林。」

不少人總以為女穆斯林是被迫戴頭巾，象徵著父權社會下的權力剝削。Kurman 的回答正好破解了這疑團。真正穆斯林所做的事情，全應發自內心。

Kurman 漂亮的家。

吉爾吉斯的家常傳統食物。

晚餐的驚喜

大約半小時後，我們到了一個小區。這裏的樓房，外面看上去挺破舊的，而且地上好大灘積水。可是人不可貌相，樓也不可貌相。進入Kurman的家，裝潢不能更漂亮吧！這不就是我夢想中充滿民族氣息的家居嗎？踏上暖和的吉爾吉斯傳統手工地氈，席地而坐，面前放置了大桌，晚餐早已預備。一般而言，吉爾吉斯人的客廳是多用途的，可搖身一變成為飯廳，甚至是寢室。如套用在香港的話，這樣更加可以解決土地問題呢。

走過四個中亞國家，飲茶文化都是紅茶配果醬。果醬例牌是自家製作，這次吃的是覆盆子醬。桌上有боорсок（扑傻）、лагман（拉麵）和沙律。我的最愛還是扑傻，太有家鄉的味道，根本是香港油炸鬼的可愛版本。小小一顆，就讓人沒有意識地不斷塞進口裏，而他們又太好客，不斷添，最後胖出新高。中亞拉麵則有點像蘭州拉麵，聽説是中國的東干人和維吾爾人移民來中亞時傳入的。這種拉麵由蔬果、辣椒、醋和不可缺少的手打拉麵組成，通常配羊肉和牛肉一起吃。

關於肉，其實我不吃牛和羊肉的，但偏偏他們是肉食大國，主食正是牛羊，而吉爾吉斯又是穆斯林國，注定我不能吃豬肉。這兒對素食主義者是一場災難。在市場上，蔬果的選擇除了椒類、蕃茄、青瓜，還有……沒有了。真的，起初第一個星期，甚麼傳統食物我都會試，就算是牛肉都會嚐一點。但後來真的不行，吃厭了每天一式一樣的蕃茄和青瓜，開始抗拒傳統食物，甚至想找西餐廳。我作為一個背包客，最失敗的地方就是對當地食物適應力真的很差。再加上我身體很敏感，吃得過多肉，臉上就會長滿痘，也會水土不服。對此我真的很抱歉，身體很誠實，我這輩子只能忠於廣東菜。

不過，這頓晚餐我是非常享受的，很榮幸得到他們的邀請，很感激他們為我預備的一切，滿載心思和愛。吃過飯後，Kurman 給我一個驚喜，害我整晚睡不了——她邀請我下星期到她家鄉，出席外婆八十歲大壽毯房宴會！我立馬向 Saman 報喜，這是可遇不可求的機會，真正體驗吉爾吉斯遊牧平民生活。

05

只能把你凝結於此

我在喬爾蓬阿塔下榻的家庭旅舍在當地很有名，入住時卻只有我一個旅客，可以獨佔整個房間。在哈薩克認識的香港朋友，住在另一間旅舍，我介紹他們來這裏騎馬。原本我也想跟著去，但因為騎馬指導員不夠，旅舍老闆的女兒建議我等她弟弟回來才出發。我注定要等到明天。

我一個人漫步伊塞克湖。就如往常一樣，把腳架固定好，設好倒數計時，走去合適的位置。咔嚓！有一個男人低頭害羞走上前："You are very beautiful." 然後遞上一束鮮花就默默離去。吉爾吉斯男生，太可愛了！

傍晚，弟弟終於回來。他跟我年紀相若，姑且稱呼他做「白先生」。大家是年輕人，性格都很外向，又喜歡分享正能量，所以聊幾句就打成一片。他會英語，應該是我在吉爾吉斯遇過講英語最流利的本地男人。最重要

我們在針葉林裏騎馬奔馳到湖邊，看著雪山聊未來。
我們在世界某個如詩如畫的國度，陶醉在我們的童話故事。

民宿老闆的孫，也就是白先生的兒甥，長得像日本人。

的是，他很帥。

快馬飛馳在針葉林

白先生和兒甥成為我的騎馬指導員，帶我到針葉林。他們兩個一直用俄語對答，我在一邊傻呼呼的看著日落，留意針葉多尖，數數自己今天是第幾天在路上，又遠眺雪山，騎著馬，放著空。我的鞋帶鬆脫了，白先生細心地幫我綁好，又問我為甚麼不多穿一件外套，入夜後會轉涼。

兒甥只有十二歲，長得像個日本人，想跟他講日語逗他，但其實他只會講俄語。突然間，白先生問我要不要來點刺激的。兒甥向我打眼色，好像是有趣的事情，我點頭說好好好。接著，白先生把腳掌伸入馬鐙，技巧純熟地坐上馬鞍後面。他雙手攬住我的腰，手執牽馬帶，問我準備好了嗎？我大力點頭。

這是我第一次的騎馬體驗，而且場景認真浪

漫。我們在針葉林快馬飛馳，他的兒甥在旁偷笑。白先生問我：「刺激嗎？再來一次好嗎？」我們轉到一個大草原。沿途我好奇一問：「你跟兒甥在聊甚麼？雖然我聽不懂，但好像很開心。」

「不要理會他，他在說笑。」

「喔？甚麼？我又不知道你們在講甚麼？看著你們感情很好。」

白先生靜了一會：「對喔。他是我的兒甥，我疼愛他，喜歡跟他聊天。」

「嗯。真好。你令我想念自己的表弟。」

「我的兒甥說你好漂亮，為甚麼我不娶你。」

我沉默了一會：「說笑吧！哈哈！你兒甥真可愛。」

「所以我就告訴你不用理會他。他又說要我教你俄語，你教我們英語，那樣大家可以了解得更深。」

「年紀輕輕就會這樣說話。」

「哈哈！他們說話好像大人。來吧！我們再來點刺激的。」

我們再來一次飛馬奔馳。我覺得這是人生其中最浪漫的時刻，但願時間永遠靜止於此。

可以留在這裏嗎？

白先生告訴我他是位小歌手，在俄羅斯、哈薩克和吉爾吉斯的舞台演出過。他現在就讀樂理專業，畢業後志願成為職業歌手。他姊姊也曾經讓我觀看他在俄羅斯電視音樂節目上的表演，認真的白先生，聲音、眼神同樣迷人。現在再看一遍，彷彿看見哈薩克海豚音男神 Dimash 的模樣。白先生問我有甚麼夢想？「我打算出版一本書，紀錄著我與路上的人的故事，包括你啊！」「你一定會的。」白先生會心微笑。「那你呢？」「除了成為歌手，我想舉家搬到聖彼得堡。那裏是童話世界，你一定要去。」

我的房間有一部鋼琴，相信房間以前是屬於白先生。晚上，他敲門，問我休息了嗎？我説，香港人習慣晚睡，進來聊天吧。白先生與兒甥走進來，我指著鋼琴，問他可否演奏一下。他陽光般的笑容把黑夜照亮了，好像發光的身體坐到鋼琴面前，迷離地望著我，清唱一句似是英語的句子，就開始演奏。

I want to breach the line
And take a step into the future
I want to see the sky
And find the way to help to reach you!

白先生樂觀、愛笑。演奏完畢後，我和兒甥坐在他身旁，要求教導我們彈一段。他純熟的指法，令我覺得會彈鋼琴的男生實在太迷人了。

在湖邊幫白先生拍的照片。

後來，兒甥被母親訓示要早點睡，房間裏就只剩下我和白先生。我問白先生：「你肯定好多女生追求吧！有女朋友嗎？」「之前有，三個月前分開了。」「很抱歉哦。」

「你可以留在這裏生活嗎？」「幹嘛？我在這裏旅行而已。」「吉爾吉斯喜歡你，你就留在這裏吧。」他微笑時，眼睛也一起瞇著笑。

我們一起看銀河

我嗅到有點曖昧的味道，所以拉他走出房間。我們坐在農田上，抬頭看銀河。我感受寒風的簇擁，白先生把溫暖的手放在我肩膀上，那氣息在我身體裏一直流淌著。

「你可以留在這裏每天與我看銀河嗎？」

「銀河不是每天都能看呢。有時會烏雲滿布。」

「那麼，我們可以一起靜待烏雲散去吧！」他用了「我們」。

「抱歉，明天我必須離開了。」

為了騎馬，我已經續住三天，又錯過了著名的 Karakul Lake。我必須回去首都，準備上山慶祝外婆大壽。白先生的姊姊依依不捨，她在我耳邊説：「我知道弟弟好喜歡你，我也很喜歡你。你明年一定要再來。」

我回到房間提起背包，看著玻璃窗，水點一不小心又變成水蒸氣散走。好不容易聚在一起，又消散得無影無蹤。

只可把你凝結在這裏。

夢想實現！遊牧民族初體驗

經過一段浪漫小插曲，我和 Saman 跟 Kurman 來到她的家鄉村莊 Taldy Sun Village，然後出發到她表妹家留宿一晚，準備一同上山慶祝外婆八十大壽。

表妹的家，肯定是我見過最美的鄉村之一。這裏被雪山環繞，腳下無邊無際的大草原，乃是心中的淨土，世外桃源的家鄉。「這裏才是真正的鄉下呢！」我跟 Saman 説。

旅途驚喜總在發現不為人所知的仙境。上天實在待我們不薄，竟然讓我們獨享這片天地。如果我背上長了翅膀，我會在那藍得不像話的天空翺翔，閉著氣衝往高聳的雪山，來個向後翻騰兩周半穿梭那青翠的針葉山林。潺潺水聲迎臉而來，提醒我要拐彎跟毯房外的牧羊人打招呼，一群咩星人緊隨其後，打算陪我衝上雲霄。回頭看，湍流不息

幫 Kurman 拍寫真。

的河流就如草地上的緞帶，把這片天堂老老實實地繫好，美不勝收。

女漢子行山記

表妹提議行山，我們舉腳說好。不過，我們是行山初哥，擔心拖累大家。「沒事的，很容易走完。」Kurman 微笑說道。

上坡的時候，萬萬沒想過要穿越荊棘林。在一整片翠綠山頭，理所當然以為吉爾吉斯的生物圈跟香港差不多。真枉我念了幾年地理，原來整個吉爾吉斯都是位於海拔五百米以上，這裏更有二千多米，冬季當然嚴寒，因此出現許多針葉林及多刺植物。這片土地需要耐寒的植物，避免過分的蒸散作用，同時能夠對結霜有更好的防禦力。

少年我太年輕，自以為征服過南非的桌山，便高估自己的能力，又低估了表妹的力量。鞋子抓不住鬆散的泥土，向上爬的時候，以為樹枝們能扶我一把，卻赫然發現前路全是長滿荊棘的樹枝，我是不可能爬上去的。我問 Kurman：「為甚麼不繞路？這個斜坡挺危險。」她沒回答我就爬上去了，表妹更簡直是女漢子，猶如針葉林裏的泰山。這才知道自己多不濟，人家戴著頭巾穿長袍，穿著一雙普通運動鞋，三兩下手勢就爬完了。我和 Saman 衣著輕鬆，又有所謂的行山鞋，卻無能地待著表妹扶我們上去。

我不想為表妹添麻煩，照樣手握布滿荊棘的樹枝往上爬。稍不留神，我的手臂留下一條十公分長的血痕，一年半後的今天，疤痕還在，那是女漢子的驕傲。渾身沾上凍濕黑泥的我，終於咬緊牙關爬完。除了勇往直前，我別無選擇。表妹則回頭「拯救」Saman，誰説女穆斯林都是柔弱女子？

要堅毅不屈的追求，過程中不斷付出，你才有資格登頂，遇見最壯麗的景色。這就是徒步的意義。

笨手笨腳搓 Manti

我們從深山牽手回家，一起洗衣服、做晚餐。我們請教表妹，做中亞第一菜——Manti，也就是中亞餃子。從新疆到中亞，從伊朗到土耳其，甚至從高加索到俄羅斯，不難發現 Manti 的蹤影。其實 Manti 是突厥族族菜，厚實外皮，裏面放牛肉或羊肉，以蒸或滾來烹調。不同的區域，餃子的形狀都不一，配醬也不同。例如，亞美尼亞人愛配酸忌廉，而吉爾吉斯人喜歡配茄汁或者自家製的白醋。

表妹親自搓麵團，手打餃子外皮。Saman 埋頭苦幹包 Manti，形狀千變萬化，令人哭笑不得。笨手笨腳的我五十步笑一百步，取笑她把 Manti 包得像個叉燒包。我小心翼翼地把 Saman 的心血放在蒸爐裏，等大約十五分鐘，就大功告成了。外皮破爛的 Manti 都是 Saman 出品，雖然是羊肉餡，可是這是同伴做的餃子，特別美味。

我喜歡與當地人住在同一屋簷下，當然也會碰上不少難題。吉爾吉斯的農村，室內不設沐浴間，我五天五夜沒洗澡，沒關係！最困擾是洗手間也居然在屋外。那天，外面滂沱大雨，我們擔著雨傘，穿越猶如沼澤的農地，來到被木板圍封的茅廁前，已分不清腳上濕漉漉的東西是牛糞還是泥土。在伸手不見五指的空間，突然傳來「嗚……嗚……」的叫聲，是牛糞沒錯吧？我們輪流守候著茅廁，聽見裏面傳出清脆的「卜通」一聲，瞬間竟有種治癒的感覺。

夢想中的毯房

翌日晨早，Kurman 表哥載我們前往外婆宴會。沒有道路，沒有路牌，我好奇表哥如何辨識方向。他說，觀察雪山在哪個方位，就大概知道自己位置。吉爾吉斯的路（是路嗎？），千萬別想像成西藏或尼泊爾那種。西藏那種畢竟是混凝土路，就算是沙石路，起碼也知道那是一條車路。可駕駛在吉爾吉斯的山谷裏，就只有草地，彷佛是只准許咩

星人走進的原生態地區。但這都不重要，因為我嗅到夢想的氣息愈來愈接近。

不消一會，那個從前只出現在紀錄片，屬於追逐自由的遊牧民族的標誌——毯房，現在居然活生生呈現在我眼前。我們去露營都是隨便搭帳篷，人家吉爾吉斯人露營，卻會帶上竹枝搭建毯房，裏面可睡二十多人。毯房頭部有一個大「天井」，用作通風、採光。聽說伊斯蘭教還未傳播至中亞前，信奉薩滿教的遊牧民族，還會透過「天井」親近上天。我們碰巧遇上冰雹，他們便用厚重的羊毛氈封口，非常靈活。

親友們分工合作，燒柴生火煮食，好像還原了原始的吉爾吉斯遊牧生活。我不相信自己親身接觸了以為只有紀錄片才可看見的遊牧民族。原來，只要信念強烈，這個夢真的會成真。

我答應過 Kurman 拍一輯寫真，向人們展示戴頭巾的女生都可以好漂亮。在場的女人，戴頭巾方式大不同。Kurman 那種是穆斯林 Hijab，把所有頭髮都遮蓋，但其他吉爾吉斯女人是把頭巾三角形式對摺，倒三角形的放在頭髮後面綁結。這是蘇聯傳下來的，也是共產主義女性的標誌，有時我會幻想她們以前做大鑊飯的時光。圍頭巾是方便工作，漸漸流傳到現代，成為中亞人的潮流。他們每個女人送給婆婆的生日禮物不是黃金首飾，而是頭巾，寓意幸運祝福。

我問 Kurman：「這是你第一次邀請外國人一起參與家庭聚會嗎？」雖然她每天都接觸很多外國人，但這倒是第一次，又說我有很強的親和力（這可是 Kurman 說的，我沒特別誇獎自己）。在座大部分親友只會俄語和吉爾吉斯語，所以 Kurman 一直充當翻譯員，非常有耐性地協助我們溝通。中亞人稱呼中國作「契丹」，每次一聽到「契丹」一字，我就知道 Kurman 又來為親友們上一堂通識課，我則在旁展示東亞地圖。Kurman 不遺餘力地跟親友們，努力解釋中國和香港的分別，在此我非常感激她。要知

蘇聯熱水壺，整個中亞甚至伊朗仍在用。

堂哥宰了一隻大牛，供給五十名親友。他頭上戴的是吉爾吉斯男人傳統帽子。

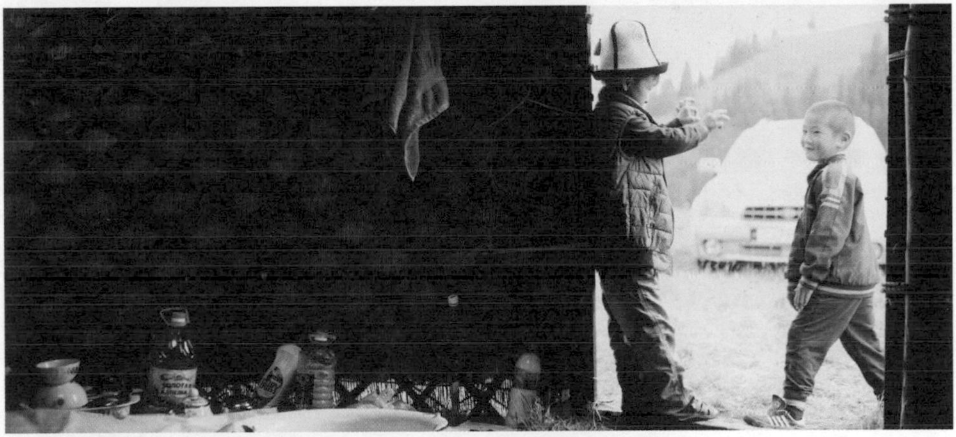

宴會前席，外婆（左）都盛裝起來。

道，我們外出旅遊，每個人都是外交大使，我們的行為直接形成當地人對自己國家的印象，旅遊亦是向別人介紹香港的其中一個途徑。這是我對身分的執著。

吉爾吉斯家庭盛宴

開宴前，他們一直煮 боорсок，又一直拿著馬奶酒搖搖。Saman 特別喜愛馬奶酒，但對我或大部分外國人而言，那種又酸又鹹、帶有酒精的味道，實在令人敬而遠之。每次喝馬奶酒，親友們特別喜歡看我那痛苦得扭曲的面容，捧腹大笑。每次我拒絕再喝，最終都妥協再要半碗，最後幾天內喝了十多碗。

繞樑之音，笙歌鼎沸，阿姨先唱吉爾吉斯民歌，再讓下一個親友接唱。三十多人在毯房裏，跟著節奏拍手。最後，八十大壽主角外婆寶刀未老，以沉穩的聲音唱出吉爾吉斯人的溫暖，答謝親友們遠赴以來。用餐前，他們雙手掌心向上，全體一同祈禱。祈禱完後，會做一個洗臉的手勢，盛宴正式開始！我們是座上客，被安排坐在外婆附近，也分到最大份的牛肉。贈人玫瑰，手有餘香，我被吉爾吉斯的愛與熱情包圍著，遊牧民族的情義刻在心底。

從盛宴開始，大家分工合作塔建毯房、烹調各式各樣的美食、清潔用具，大家都努力營造盛大的家庭聚會。在青青草原中，與一眾親友們玩閃避球、吉爾吉斯版糖黐豆。那是屬於自己家族的回憶。比起在酒樓設宴，大家各自跟手機食飯，遊牧民族的聯誼生活令成員對家族充滿歸屬感。吉爾吉斯人的家庭觀念重，外婆八十大壽，整個家族的親戚不上學不上班，特意過來家鄉為外婆慶生。整個家族聚首一堂，實在難能可貴。

離別時，每位女親友逐一跟我臉貼臉道別。

我們互相擁抱，把溫暖凝聚一起。熱情的吉爾吉斯朋友，我們再來一碗馬奶酒。乾了這碗，我們一輩子都是好兄弟。

我把心留在吉爾吉斯斯坦。

07

名不虛傳的中亞火藥庫

「你去過奧什（Osh）嗎？」我問 Kurman。

「北面文化開放且俄羅斯化，但南面宗教虔誠且住著許多烏茲別克族。我們都不會過去奧什那邊。」她輕輕帶過北吉爾吉斯人與南吉爾吉斯人的對立關係，這也說明了為甚麼她在北方的比斯凱克受到歧視。北部鼓吹世俗化，加上俄羅斯文化侵入，人民愈表現得像個「俄羅斯人」，就被視為所謂的「現代人」；反之，穆斯林被視為落後而極端的人。

當我感到困惑時，總會打開旅遊天書《孤獨星球》的最後一章節，惡補一下歷史。對一個國家的歷史有初步了解，才能更貼地地旅行，對當地人也是一份尊重。就如突然有外國人跟自己講廣東話而不是國語，更對香港的理解滔滔不絕，能說出我們曾被英國殖民過，現在雖屬於神州，但仍有自己的政府，你肯定感覺眼前一亮，覺得這個外國人尊重我，尊重我的身分。在歷史錯綜複雜、陌生神秘的中亞，能夠略知一二歷史，更令對方刮目相看。

歷史遺留的火藥味

打開地圖，甚麼？奧什那邊的國界線好像亂畫的？對，是真的亂畫一通。那是史太林留下的一顆計時炸彈。蘇聯擔心中亞地區泛突厥主義膨脹威脅其政權，於是「幫助」中亞各民族建立自己的民族蘇維埃政府，更在中亞費爾干納盆地胡亂分國界，把烏茲別克人的聚居地放在吉爾吉斯境內，又把塔吉克人和吉爾吉斯人的聚居地劃入烏茲別克境內。如此變態招數，加深民族之間的仇恨，背後最大原因就是避免中亞各族團結推翻蘇聯。各中亞各國也沒預料到蘇聯有解體的一天，到最後還是被逼獨立。可想而知，各國缺乏精英去繼承及面對這一切「蘇州史」。

居高眺望奧什。

蘇聯的統治政策埋下各族衝突根源，獨立已來，奧什已多次發生針對烏茲別克族的流血衝突，簡直是中亞的火藥庫，害我有點擔心。中亞就像他們的 Plov（手抓飯），將所有蔬果和肉炒在同一個大鍋上，吃下去總覺得膩，有點不勝負荷的感覺。

我從比斯凱克出發前往奧什，沿途風景拼湊出中亞最有詩意的畫面。淡雅的丹霞，與藍天互相輝映，令人目眩神迷的油畫祥和地倒影在寧靜的湖面上。我只是純粹取道令人趨之若鶩的奧什，出發帕米爾高原，但願安然度過。結果，真的有人激怒我！奧什實至名歸，成為我心中的「中亞火藥庫」。

我可是外交大使！

那天，我們來到 Osh Guesthouse，聽聞有提供包車到塔吉克帕米爾高原小鎮穆爾加布（Murgab）的服務。付了包車費用後，想托旅舍投寄明信片，被站在門口無所事事的老闆弟弟注意到。

「你是中國人嗎？」

「我是香港人，也是個華人。」

「香港不就是中國嗎？」

「是。不過，我們有自己的政府。」

「那不就是中國嗎？」

「現在是中國的一部分。可是，香港是特殊的。我們是（貌似）民主社會，奉行資本主義經濟體制，擁有自己的貨幣，更有自己的護照。跟中國大陸，其實是截然不同的。」

「香港就不過是很小的地方，不足掛齒。」

你不仁我不義，直接穿透你的玻璃心。「你吉爾吉斯也不過是五百萬多人口，但我們有七百萬多，而且我們擁有穩健而強大的經濟實力。」

「也不過是中國而已。」

他戲弄我一番後，玻璃心碎落滿地，拒絕替我投寄明信片。

我非常重視自己的身分認同。一出國，每個人都是外交大使。我是香港人，有責任跟別人說明甚麼是香港人。這下，我真的動火。我對著老闆瞪大雙眼：「怎麼你老弟是個沒教養的人？穆斯林不是尊重每一個人嗎？」

老闆安慰我：「每個宗教有好人有壞人。我來幫你寄明信片，不要動火。」

睡衣之國和那些男人——塔吉克篇

帕米爾高原驚魂夜

純潔的冰藍湖泊、迷人的高聳山脈，好客的熱情民眾……吉爾吉斯，你永在我心。跟毯房說再見，我們正式向第三個斯坦——塔吉克斯坦出發，闖入神秘的帕米爾高原。

在吉爾吉斯南部大城奧什，在旅舍找到一男一女瑞士人拼車，路上再撿一個日本姨姨，一行五人，開始我們的公路旅行。坐在我右面的瑞士男是個冒失鬼，忘記把塔吉克簽證打印，要在清早到處尋找網吧，日本姨姨就因此在公路上足足呆等了兩個小時。快進入塔吉克之時，瑞士男又突然告訴我們，遺留了露營帳篷在奧什旅舍。真擔心接下來的旅程，他怎樣照顧自己啊？對了，他其實是單車旅行，拼車到塔吉克後，再自己在帕米爾踏單車遊走，回去吉國。此時想起阿翔，從香港到南非的熱血單車旅行者。那時候，你在中國啊！每天前進幾百公里，那種魄力，那種鍥而不捨的精神，單車旅行者是最令我

佩服的人。

坐在司機旁的是瑞士女，一名單身女旅行者，已是第二次來中亞。她最喜歡的是塔吉克，更強烈推薦必到帕米爾高原之明珠 Karakul Lake 湖邊紮營。我們討論在吉爾吉斯呆了多久，又去過哪裏。原來我們在同時間住過同一家旅舍，就是 Kurman 打工的那家。腦海突然呈現一段回憶：「我記得有一次和兩個香港朋友進去旅舍時，有一個韓國人很大聲的說："They are CHIN." 我對這字極度反感，特別深刻。他身邊有個金髮女人瞪大雙眼看著我們。」雖然支那（Chin）一字在古代純粹指稱為中國，但現在卻富歧視、貶意之味。她說：「你真的很好記性！我就是那個女人。」

鎮上遇見的東亞臉孔

穿過 Karakul Lake 後，大概晚上六點，我們到達帕米爾高原的始點站——穆爾加布。這是我見過最荒蕪的鎮：一個只有一個攤檔的所謂市集、一個警哨站、幾間旅店，加一堆沙，就已經是句號了。加上這裏海拔三千多米，我不打算到外吃沙，就乖乖待在酒店。我重遇在吉國 Guesthouse 認識的日本男人，果然，來中亞旅行的背包客，都會一口氣遊走幾個斯坦國。他一直給我看帕米爾的美照，我一直吃著只需一美金的羊肉泡飯（Shorpa），美味無比。這個日本哥哥目測四十多歲，在杜拜賣英文書過活，賺夠錢就到處遊覽，下一站是坦桑尼亞。世界在變，許多人不安於定居生活，只想趁著還有體力時，遊走世界。

在酒店裏，又遇上東亞臉孔。我上前搭訕：「你們是韓國人嗎？」原來這四個南韓人在塔吉克首都杜尚別（Dushanbe）的非牟利志願機構工作。我跟其中一個歐巴特別好聊，我們互相欣賞對方的攝影，又了解彼此的工作。他是到塔吉克的鄉村進行水資源管理，確保食水供應，機構也致力向塔吉克小孩提供上學機會。我問他如何找到這份工作，他指南韓政府與中亞多國有多方面的交流，而其機構有密切的合作關係。我心想，原來南韓早已看中這「一帶一路」附近的潛力。

歐巴告訴我，在這裏工作的薪金肯定不及南韓高，大概四百美金，但已屬高薪一族。「那你為甚麼要跑到這裏？」「因為我想看看這個世界、因為我想做一份有意義的工作、因為我不想呆在南韓，每天過著重複呆板的生活，不知為何而活。我最大的願望是到非洲工作。最好找到一個伴侶，一起探索，一起追求同一目標。」

南韓是世界第二高自殺率的國家，國內競爭激烈，階級觀念根深蒂固，壓力無比。認識好幾個南韓朋友出國後都不願回國。外表風光，軟勢力強大，但南韓人深明背後需要付出多麼沉重的代價。

既然他呆在塔吉克已經半年多，所以我多問關於塔吉克的事。

荒蕪的穆爾加布。

「塔吉克政府腐敗，貪污嚴重。譬如説，你們坐車時，經過一些檢查站，可以留意一下，司機跟軍人會握手，其實手掌藏著銀紙。不給便費的話，好難過去。這是我其中一件最討厭塔吉克的事。」

「可是，塔吉克很美。百姓很友善、很親切。他們重付出多於收穫。好多人喜歡幫助別人，不求回報。另外，這裏的風景美得讓人以為自己在月球。這是我們從首都飛過來走帕米爾高原的原因。」

「不過，赫赤！你絕對要小心塔吉克男人。真的，不要掉以輕心。」

他明早出發，我也要洗澡去。我們交換聯絡方法，答應他到首都時一定找他玩。

「小心塔吉克男人」

澡房就像公共游泳池那樣，有好幾個沐浴間。正當我想進入其中一個，一把男聲從後傳出：「你好！」我非常好奇，居然在這種地方有國語的蹤跡。所以我停下腳步，轉身跟他聊了一會：「你是華人嗎？」他個子不高，但身材魁梧，大腿肌肉結實。「不，我是塔吉克人，在上海學過漢語。」後來一堆廢話，讓我只想快點洗澡。他突然壞笑，並把澡房主門反鎖。

我嗅到危險的味道。男人居然在我面前脫褲子，我立即後退，進到沐浴間，把門大力關好。他不斷叩門，問我為甚麼不開門。心臟快跳出來的我不知所措，緊張得如螞蟻般不停原地自轉。究竟我要怎樣做？究竟我要怎樣做！

想了想，還是先洗澡吧。反正我不能開門，而且大家來這裏是洗澡，我現在能做的事只有等他也洗澡，再趁機逃走。男人一直叩門，頻率是叩五下就放鬆兩秒，再叩。我回他：「我在洗澡，不方便出來。」他淫笑說：「沒關係，一起洗啊！」過了好幾分鐘，男人沒癮，當我終於聽見潺潺水聲傳出，就換上睡衣，推開沐浴間門，再馬上拉開已鎖上的正門，以震撼而響亮的聲音大呼「救命」。酒店經理馬上跑過來，我哭訴著有男人意圖強姦我。他於是叩門，並用塔吉克語跟那個男人對話。經理安撫我：「今夜我會派一個保安在你門口守著，讓你安心睡覺，現在回去房間吧！」我跑回房，抱著 Saman 大哭。

翌日，我問經理那個男人跑到哪裏去。「那個男人是駐守中國塔吉克邊境的軍人，清早五點就退房了。我們跟他吵了好幾個小時。對於昨晚發生的事，我們深表同情，希望你安好。」

「小心塔吉克男人。」

（利申：酒店經理是吉爾吉斯人。）

09

追隨馬可孛羅的腳步

我還未回神，就要為其他事情煩惱。原本打算租一輛豐田四驅車，闖入有亞洲屋脊之稱的帕米爾高原，沿著塔吉克與阿富汗邊境之間的瓦罕走廊（Wakhan Corridor）奔馳著，靜心細看如月球表面的帕米爾高原上游，遠眺興都庫什山脈（Hindu Kush），雪山來勢洶洶的包圍著我們，偶而幻想自己浪漫地遊走絲綢古路，實質不堪入目的路況是跟自己過不去。那是全球第二高海拔的國際公路——三日兩夜包車，承惠三百美金，但我們跟日本姨姨湊不夠四個人，意味著我們可能要多呆幾天，直至有足夠人數。最後因日本姨姨趕行程，願意付一半，我跟 Saman 每人付七十五美金。我愛日本！三人加上吉爾吉斯族司機，出發！

馬可孛羅（Marco Polo）於公元 1273 年翻越帕米爾高原，進入今天的新疆。他在遊記寫道：「這裏是帕米爾。騎馬需十二天越

過，寸草不生，無飛鳥，無生態，只有沙漠。現正值嚴寒，生火存困難，難以煮食。」他把帕米爾的環境形容得難以生存。然而，令馬可孛羅最深刻而驚奇的事，是高原上的羊。他說那些大野羊的羊角可長達六掌尺，相信他沒想到今天牠們被命名為馬可孛羅羊。我真心希望有天，有種羊被命名為赫赤羊。

走在一條七百四十五年前世界旅行家走過的絲綢古道，怪不得被《孤獨星球》評為單車旅行家朝聖必去的公路。如果吉爾吉斯的風景令人迷醉，那麼帕米爾的風景令人謙卑。冰山威風凜凜，雪水源源不絕。那一望無際的浩瀚荒漠，那一氣呵成的窮崖絕谷，像夢一樣，永無止境，任誰都不敢站在大自然前高傲自大。

帕米爾平實而不屑塵世崇拜。巍峨雪山拔地而起，潔白無瑕，一塵不染，流著孕育萬千生命的雪水，滋潤大地。高山王國塔吉克，全國超過一半的領土高於海拔三千米。當中，帕米爾乃是中亞主要流域阿姆河（Amu Darya）之源頭，流經阿富汗、土庫曼及烏茲別克，穿越紅黑沙漠，最後到達鹹海（Aral Sea），甚至是裏海（Caspian Sea）。一路往前，阿拉在帕米爾鑲嵌了大大小小的碧玉，有的靜謐碧藍照徹大地，有的神秘莫測深不見底。

和日本姨姨的你問我答

一整天在四驅車上看風景，一直手持相機，手腕都快要斷。放下相機，不忘跟身旁的日本姨姨聊天。先來點熱身，問她怎麼會來中亞。原來是退休旅行，以前在中學當英語老師。日本姨姨用力吐出字正腔圓，充滿英式口音的英語，神奇的是她從未出國留學，卻沒帶半點日本口音。她情迷中亞國家，神奇的波斯宏偉建築與魅力璀燦的中亞高原，最重要是旅費一點也不高。

單刀直入，我問她結婚沒有，答案是單身。這引起我極大好奇心。在集體主義至上的日

本社會生存，單身高齡女性肯定受過不少閒言閒語。問她為何不結婚，她說找不到合適對象，雖然家人有微言，但她忠於自我，認為婚姻大事影響一生，不想輕率。不過，她還是對某些事情有讓步，例如她很討厭當教師，卻堅持了二十多年，為的是穩定收入，直到最近無法再忍受下去，於是尚有一年退休都等不了，就去了旅行。在我眼中，日本人能做到不理世俗眼光，是極為令人驚嘆的事情。我佩服日本姨姨。

再說，她在我這個年紀，也就大概三十多年前，就一個女子背包旅行。要知道以前的風氣肯定沒現在開放。她一個人到南韓，下榻民宿時，竟被民宿主人誤會是北韓間諜，被捉去問話。單身女性旅行是非常不尋常的事情，不尋常得惹來橫禍。

我再問了其他古怪問題：「為甚麼在日本，男人可以公開看色情書籍？」這是男性需要。而且，日本就是一個男性主導的社會，

日本姨姨和我們同遊。

這是可被接受的。」「那麼，為甚麼女人做這種事情，就是不道德呢？」

我又問：「當年恐怖分子揚言要殺死日本人質，社會輿論都是要放棄拯救人質，為整個日本著想。因為集體主義，就以小我成全大我嗎？」她堅定回答：「是的！這就是日本社會。我們是為大家著想。個人主義很多時被視為自私。」「那麼這似乎是集體自私？」

我很欣賞日本姨姨對我這個年輕外國人的包容及耐性，因為我的問題尖鋭得有點無禮。她顯然有點生氣，但把事實赤裸裸的由我這個外國人口中説出，或許她會多思考，發展成更深度的對談。

最後，我問她關於釣魚台的事：「你認為釣魚台是中國的，還是日本的？」「當然是日本的。中國原本是放棄這領土，只是後來發現有戰略價值才説要取回。」誰都不會幻想到，我們在帕米爾高原上聊著釣魚台事件。

一段旅程，除了視覺衝擊，也要期待著思想與意識形態上的衝擊。

再挑戰「爬」山

在瓦罕盤地旅行，當然少不了登山徒步。我們決定到 Langar Petroglyphs 看看，那是一處布滿了岩石雕刻的山坡。《孤獨星球》說只需一個小時就能到達，結果我們花了三個多小時！奉勸各位女遊人，要知道作者是男人，書上寫的時間只供參考而已。

山腳滿是墳墓，Saman 一直喃喃「有怪莫怪」。我得意洋洋地說：「經過上次在吉爾吉斯勇闖荊棘林後，相信我們是戰無不勝的。」少年我太年輕，原來這裏才是 Boss。這裏的斜坡絕對要手腳並用，用「爬」來應付，要不是有植被抓住，我們早就失足了。可日本姨姨早已到終點，我倆體力居然比五十九歲的姨姨還差，實在自愧不如。千辛萬苦，拼了命都要上來窺看這裏的雕刻。

「古人是否瘋掉了，為何非爬到那麼高的地方雕刻不可？」我問。

「我乾脆給他一張紙畫畫吧！既方便又快捷。」Saman 答。

「在高地雕刻，別人又看不見，又要害怕會跌落山崖。何苦呢？」

我們的對話經常令人摸不著頭腦，大家卻因此捧腹大笑。

美麗的風景　更美的人

我和 Saman 在帕米爾高原，一起找美麗的帕米爾人聊天，一起窺探對岸神秘的阿富汗邊境，甚至肉帛相對——我們的關係已經發展到這程度了。我們到訪帕米爾公路旁，當地最著名的溫泉區 Yamchun Fort。男女非共浴，女人先進去浸泡三十分鐘，再換男人進去，所有人都必須脫光光。

帕米爾姑娘的白皙肌膚、玲瓏曲線令我心情沸騰，加上精緻的五官輪廓，含蓄微笑，猶如天降仙女。我敢說帕米爾女人是我看過

最美、最天然的種族，讓我差點忘記自己也是個女人。可是，轉身就被帕米爾大媽嚇倒，怎麼身形是姑娘們的幾倍？另一邊廂，相信她們也在觀賞我的身體，看來她們對平胸毛孩非常感興趣。要知道，我看過好多種族的身體，他們都會清走下體的毛髮。我和Saman害羞得默默游到角落。日本阿姨亦魅力四射，身材好得一點不像在退休年齡，真的很會養生，絕對不輸帕米爾妙齡少女。我此等閒人，退散也。

帕米爾如此耐人尋味的景色，終究都會令人審美疲勞。我們很幸運，不須如馬可孛羅時代騎馬十二天，卻能與有趣的旅伴包車三天同遊穿梭。我經常說，對一個地方的情意結，很大程度與景色無關，卻是你所遇見的人。如果你問我會否再來帕米爾，或許我要找個人跟我分享這一切。

10 造一件華麗的睡衣

再艷麗的風景，還是有膩滯的一天。我說服Saman，不如在首都杜尚別休息四天吧！實在太累了，已經快一個星期，沒停留一個地方超過兩天，我們面前還有很長的路要走呢。休息是為了走更遠的路，相信每個長途旅人都經歷過精神及體力無法同步的日子。誰知，我在這裏一留就是七天。這個毫無特色的城市卻啟發了我，影響我回港的路。

交通燈！是久違的交通燈！重回城市生活，竟然不習慣，在旅舍看到洗衣機和冷空調，不小心大叫一聲：「電器啊！」沙塵滾滾的道路消失了，一整列金碧輝煌的歐式樓房，這裏就是杜尚別嗎？踏出旅舍找共乘車，總是有帥哥乖乖停車，問我們要去哪，而且好幾次不收車費，朋友說我去到外國還是致力當娘娘。還有一次，晚上十二點打算截順風車回旅舍，恰巧截到警車。警察司機看似醺酒，最後還是安全把我們送回家，還給我

手提號碼。塔吉克人的臉孔有別於其他中亞人，他們是波斯族，輪廓更深邃，所以一看五官扁平的我，就知道到我是華人。搖身一變大明星，我們亦成為集郵對象。杜尚別，特別有趣。

來到杜尚別，答應要聯繫韓國歐巴，他說要帶我們吃好一點。久違了東亞菜，我們去了日本餐廳，那裏的塔吉克服務員全部講得一口流利日語，跟我們日本姨姨溝通也無障礙，非常專業。我點了親子丼，把沾滿蛋汁的雞肉放進口，幸福感滿溢，那是家的味道（我沒說錯，日本是很多香港人的家鄉）。可憐我這個不吃牛羊的人，一路上究竟是如何挺過來的？晚上，歐巴帶我們參觀他的宿舍，說要做正宗韓國菜。他把蒸飯鍋、珍珠米、調味粉都從南韓扛過來。登登登！我們今晚吃泡菜炒飯。泡菜由歐巴親手醃。一個愛乾淨、會做菜、對自己生活有要求、有想法的人，就是理想的結婚對象。我跟

Saman 說，要嫁就嫁這類型。

街頭睡衣時裝秀

有天，歐巴問我要不要做一件塔吉克傳統服，我立刻大力點頭。走在杜尚別最繁華的街道上，每個女路人都像是博物館走出來，一身傳統寬鬆碎花上衣配長褲，這不就是睡衣嗎？莫非我來了睡衣王國？有些阿姨還穿豹紋睡衣逛街！在這裏，一起床睜眼刷牙洗臉，不用換衣服，穿睡衣就可以出門了，保證零違和感，也省時間。結果我多花了幾天在杜尚別，逛市集選布，再找裁縫。在等候成衣的日子，過得特別頹廢，一事無成，有好幾天悠哉地跟旅舍樓下的小屁孩玩。

塔吉克女人普遍個子小，跟裁縫合照時，凸顯我「巨人」般的身高。裁縫不會英語，她們笑說：「我會四種語言，塔吉克語、帕米爾語、俄語，還有波斯語，就是不會英語。」我一個「黑人問號」，再使出殺手鐧——Google Translate！除了溝通服裝設

計，更與他們聊天。直接問她們結婚沒有，全部都説已婚了，都有好幾個娃。我一直打英文字，再翻譯成俄語。她們回問我有沒有男朋友，我把一堆香港最帥的朋友照片讓他們過目。「你應該跟這個結婚，太可愛了！」「我也想！但是他不喜歡女生。」她們哈哈大笑：「妹妹，你會找到的。」塔吉克作為穆斯林國家，男女關係尚算開放，至少街上不難發現男女牽手。不過婚後，男人有外遇的情況也挺嚴重。

她們也教我塔吉克式頭巾綑綁法。首先把頭髮綁成馬尾，再把頭巾對摺成長方形，寬度約三寸，從額頭前方包起，把頭布的兩端繞到後腦勺打結，然後將兩端頭布交錯進行扭轉，再環繞綁馬尾的橡筋位置……好了，我不説了，太複雜。

塔吉克式頭巾是我最喜歡的，雖然顯得臉圓，但是滿滿的民族女孩氣息。可能你會問，為甚麼她們不是要戴黑頭巾？女穆斯林不是不讓露頭髮嗎？我們經常錯誤以為所有穆斯林國家，都規定女性穿上一式一樣的黑袍。事實上，每一個國家都有其傳統服飾，並不存在統一宗教服飾。這次旅程走了五個穆斯林國家，每個國家的服飾都不一樣。當你跑到土庫曼，更會發現當地女穆斯林穿上貼身剪裁的長裙，盡顯玲瓏曲線美，更不用戴頭巾甚麼的。

手造民族服的溫度

四天之後，衣服終於準備好。我憑空想像的設計終於呈現眼前。裁縫一絲不苟地把一顆又一顆仿水鑽貼在睡衣刺繡領上，手工盡見心思。原來衣服上的點綴是一種身分象徵，愈複雜的刺繡，愈多閃閃發亮的仿水鑽，衣服主人就愈有品味。其實做一條裙子並不特別便宜，可能已經佔當地人月入五分一了。大家以後買睡衣絕對不能怠慢，一件睡衣就暴露你的社經地位。

我忽發奇想，為何不把每個民族的傳統服裝，加以改良成時裝，分享到我們這邊來？透過衣服，認識世界角落的民族，學會欣賞手工衣服的細膩和溫度。旅行久了，發現最好的紀念品就是在路上做的衣服。這件睡衣，承載著裁縫們給我的啟發，收藏了我對塔吉克的情誼，成就了一段寶貴的友誼。穿上去，好看得連我也嫉妒自己。

穿上睡衣跑景點、行古堡、行商場、坐在噴水池旁吃雪糕，無人會用奇怪眼光看著我們。對我們而言也是匪夷所思，怎麼能穿著睡衣到處跑？彷彿四海為家。有一天我們跑到烏克蘭餐廳，點了一個多月也未碰過的豬腩肉。把豬肉放進口就像回到家的懷裏，不期然就把右腳粗魯地放到左大腿上——真的錯把這兒當成家。

塔吉克的他與他

旅途上的頹廢時光，與人談天說地是打發時間的好方法。

旅舍員工都會英語，大部分為大學生，來這裏兼職，跟外國人聊天練英語，員工U更告訴我明年會去美國留學。我們互相交流自己國家的政治、社會問題，還有一些價值觀上的爭議。

離鄉但不忘鄉

「你憎恨前蘇聯嗎？」

「我們痛恨蘇聯。你知道嗎？蘇聯解體後，我們是唯一一個中亞國家有內戰發生。當年蘇聯入侵阿富汗時，取道我們帕米爾，運送豐富物資到當地。我們當時作為蘇聯一部分，卻是中亞最貧窮的地區。跟阿富汗相比，確有巨大落差。於是，國內各持份者積聚壓力，尤其是帕米爾人與塔吉克人的對立

矛盾，一場內戰無可避免地爆發了。」

直至今天，塔吉克依然是中亞五國之中最貧窮的國家。

「我們國家不需要人才，因為政府不希望他們的權力被搶走。你看，大學畢業的，竟然去當的士司機，做銀行的月薪也只有一百五十美元左右。我們今年已經有兩家銀行破產倒閉。很多塔吉克人對國家前途不存希望，於是出國尋找機會。由於不會英語，只會俄語和本土話，通常都湧去莫斯科。莫斯科的非技術性工作大部分都由塔吉克人或其他中亞人包辦，例如的士司機、清潔工。他們會匯錢回母國，可是大量勞動力外輸，人才流出，國家更停滯不前。留下的婦孺也不會外出工作，老公更可能在莫斯科變心，單親問題不可忽視。」

事實上，在俄塔吉克人寄回母國的匯款收入，相當於塔吉克國民生產總值一半。

「你因為對自己國家前途沒信心，所以出國讀書吧？你會在那邊落地生根嗎？」

「是的。我計劃在那邊讀書，那邊工作，那邊生活。」

「順道找個美國女生吧！」

「這個不行！我不知道你們香港人能否接受跨種族婚姻，但是對我而言，我只會選擇塔吉克女生做我的老婆。首先，我覺得只能接受跟我文化相似的人，因為她需要服侍我的家人。如果她是外來人，可能跟我的家人在思想上有衝突。所以，我選的老婆一定是本地人，而且必須要遵從（Obey）我。」

我們聽著心裏非常不舒服。甚麼？Obey？

我知道塔吉克人比其他中亞族群較少跨族通婚。塔吉克人是最古老的波斯後裔，講波斯語，自古以來有著截然不同的文化習俗，較難與他族融合；其他中亞國的烏茲別克族、哈薩克族和吉爾吉斯族則是突厥族，大家語言互通，而且祖先本來就是黃白混血兒。擔心文化衝突而不接受跨族通婚，非常合理，

但聽到「Obey」一字，Saman 轉用廣東話：「他倒不如找個鐘點吧！」

我拋了一個世界性問題——婆媳糾紛情境題：「如果你老婆跟母親吵架，但道理在老婆那邊，你幫誰？」

「此時，我會要求老婆不要再爭吵。她必須服從我，不能頂撞母親。」

「但事實上，道理在老婆那邊，她要是堅持，你怎樣？」

「那我就離婚。」

我跟 Saman 頓時反白眼。念著他請我吃最喜歡的塔吉克國菜 Kulob，又為我上了一堂塔吉克歷史課，算了，不再爭持下去，反正我不是要當他老婆。

無腳小鳥的鄉愁

同一天，我卻認識了一個與眾不同的塔吉克男 K 先生，來自北部大城苦盞（Khujand），來到杜尚別是為了辦英國留學簽證。K 先生總是一副事不關己的嘴臉，語調調皮有趣，可是你會跟隨他的節奏，笑談天南地北。當他笑起來，眉毛與眼簾呈彎月，很容易被他那種像痰卡在喉嚨裏的「Kekeke……」笑聲感染起來。

"You know our people are stupid. Kekeke." 這句彷彿是他的口頭禪。每當我問及關於塔吉克的社會及政府問題，他總是笑嘻嘻地批評同胞保守落後，但笑聲背後總是藏著唏噓。我們都知道，塔吉克政府無心無力為下一代建設美好未來。

我心目中的伏中之最伏：酸奶丸，吃前請三思。

「如果你要去那個"a**hole"烏茲別克，會經過苦盞的話，歡迎來我家作客。」

後來我們被K先生的真誠打動，終於動身前往苦盞，他會說流利英語的妹妹接待我們。細心打聽之下，原來他們的背景挺不簡單。母親為聯合國難民署高層，妹妹跟著母親周遊浪蕩，才十六歲，已經到過尼泊爾、剛果、菲律賓讀書，現在在約旦。母親要求她入讀法語學校，期望她學會法語，跟當局打好關係。關於父親，我沒有追問，唯一知道的是兩姊弟是俄塔混血兒。

「周遊浪蕩的生活，不斷轉換學校，會出現不銜接的情況嗎？」

「我讀的是國際學校，所以沒這樣問題。不過現在入讀法語學校，我根本跟不上。真的不知道怎麼辦。」

「那你跟哥哥關係怎麼樣？」

塔吉克人的審美觀，就是把濃密眉毛連繫一起，再配上一顆大金牙。

「其實一般般。因為我們長期分隔兩地，他自己一個人在英國讀書。」

事實上，K先生比我年輕，年紀小小已在國外獨立生活一段時間，稚氣早已被生活歷練抹走。他總是用著輕鬆幽默的語氣，輕輕帶過沉悶的工作生活。他計劃暑假回鄉，就在苦盞申請了銀行實習工作。這天早上，他要外出工作，下午才回來帶我去玩。

"Girls, I'm now going to shi*ty bank."

"Citibank?"

"No. It's shi*ty bank. Kekeke."

壓根底裏，我知道K先生不會忘記他的根。他三年沒回鄉，但童年的朋友依舊沒忘記他，陪他抽水煙，講著家鄉話聊天。他陪我們逛苦盞市時，總是稱讚自己的家鄉是塔吉克裏最美的，再補上一句："But you know our stupid government damages everything here. Kekeke……"

K先生帶我去了離市區二十公里的大湖泊。他說那裏是屬於苦鳌人的後花園，如今卻被政府偷去，並建成度假區，收取門票獲利。

"They ruin my childhood's memory."
"The government all around the world is stealing our memories. Then, do the brain-washing, replace our memories and try to insert the new "collective memories" for their evil political needs. Same as in my motherland Hong Kong and some kinds of strong countries."

全世界的政府正在盜竊屬於國民的記憶，創造無謂的「記憶」，只為權力和金錢。

「你這次一走，不知道甚麼時候再回來了。塔吉克有令你值得留戀的地方嗎？」

「一定是Plov，那是世界上最美味的炒飯。還有，我的祖母。」

Plov（手抓飯）在中亞人心目中的地位，就如我們的點心，代表著自己民族身分。塔吉克版Plov就是把紅蘿蔔、洋蔥、蕃茄、白菜、各種水果乾、羊肉或牛肉，再配上不同香料，尤其是大青椒一起炒，味道有點像印度的Biryani。在蘇聯時期，這是最常見的大鑊飯。家鄉菜是最原始的味道，令人懷念，不能取代。

我們抽著水煙，煙霧彌漫，在如此曖昧的空間，我又借機問：「你是怎樣出國唸書，自己兼職賺錢嗎？」「我是透過銀行貸款的，不想留在這樣的國家。」可想而知，無論是員工U，還是K先生，大部分塔吉克年青人真的對國家前途毫無希望，總是逼不得已的離開。

K先生就如一隻「無腳的雀仔」，他知道自己的需要，想辦法追尋那真正的自由。他沒有手機，「那你怎樣在英國生活呢？」「我到酒吧喝酒，跟朋友說，我每天都在這裏喝酒等你，不醉不散，Kekeke…… 你們就是被手機困著了，錯過了許多真正清靜的時

間。」

就算是同一文化脈絡下長大的人，價值觀亦會發展得截然不同。旅途上跟不同人聊天，了解各自天馬行空的想法。雖然我的胸部沒法再增大，但我的胸襟可以無限擴闊。

12

呼出你的無奈與哀愁

你呼出你的愁苦，呼出你的無奈。你憂怨的眼神總令我愛憐你。

我從苦盞回頭杜尚別，只因我想念你。

第一天凌晨來到杜尚別，第一個接觸的旅舍職員就是你。那張靦腆帥氣的臉，睡眼惺忪的樣子，多麼可愛的你。

「我在洗手間滑倒，你居然掩嘴偷笑。」我們由此開啟了對話框。

在陽台你抽著煙，我百無聊賴的走進來。

「你是塔吉克人嗎？總覺得你跟一般塔吉克人長得不一樣，你外表像是斯拉夫族。」

「我是阿塞拜疆人。」

「你是在阿塞拜疆出生，再移民過來的嗎？為甚麼要來塔吉克？」

「我在阿塞拜疆出生。我爸爸被人暗殺，我逃離到塔吉克，跟婆婆相依為命。」

我心臟彷彿停止了。

「我爸在巴庫（Baku）曾有一所阿塞拜疆最大型的賭場。我叔叔想搶走，就派人暗殺他。」

「很抱歉。」

你呼出哀愁。「已經過去了。」

你每抽一口煙，彌漫著的朦朧氣息總是迷惑著我，那怕你一副斯拉夫民族優越感的臭臉實在惹人討厭。你陪伴我度過那輕狂無悔的時光，讓我無法自拔。你教導我如何玩國際象棋，第一場就讓我贏。你教會我全部俄語髒話，卻不讓我在你面前講。我們趁旅舍沒人時，放著沉穩的俄羅斯民謠音樂，你雙手放在我腰上，我把雙手放在你肩上，創造屬於我們的時刻。

有天，你坐在沙發，雙手合攏，那幼長的睫毛總讓我錯覺你是娃娃。你雙眼瞪著我，我只聽到自己的呼吸聲。

「我問你啊！為甚麼會有錢出國？」

「因為我在大學連續四年都拿到獎學金，加上我有幫小孩子補習。我的積蓄足夠我走好幾個國家。」

「我很羨慕你。我就為著來年的大學學費躊躇著。為甚麼你有出國的機會，我就沒有？」

我一直覺得自己非常幸運。上天讓我出生在富裕的社會，機會處處。我只要成績好，就能得到獎勵，更贏得出國見識的機會。我非常珍惜這一切，與此同時，我卻感到無奈。我一路上碰到許多才華滿溢的年青人，比我厲害的、聰明的大有人在。我遇過精通塔吉克語、俄語、中文、英語的塔吉克人，卻要比我付出更多努力，才能得到他們所想。一切只因他們並非出生在發達國家。

「出去抽煙吧！」我把手扶在陽台花欄上，遠眺杜尚別的海市蜃樓。你從後後抱緊我。

「明天我要走了。」

「你為甚麼把我扔在這裏？」

我很遺憾，從今以後沒辦法繼續陪伴你。旅行早已教導我，在生命裏許多人只是過客。但願，這次你呼一口氣後，我隨著煙霧消散。

當你親手把門關上，那種衝力連我的心臟都被震撼到。我不知道能否再與你相見。我跟著俄羅斯人坐上前往撒馬爾罕的車，一直跟你保持通話，直至到烏茲別克的邊境。

「祝君安好，有緣再聚。」

「赫赤，謝謝你。我……」

一切塔吉克的信號就此終止。

愛恨交纏之地——烏茲別克篇

令人厭倦的絲綢重鎮

"This is an a**hole country."

這是我聽過對烏茲別克最差劣的評價，來自苫蓋哥K先生的評語。中亞就如南歐的巴爾幹半島一樣，為民族大熔爐，也就意味著宗教、文化不同，矛盾頻生。基本來說，烏茲別克特別與吉爾吉斯及塔吉克鬧得水火不容。不能怪我戴著有色眼鏡進入烏茲別克。

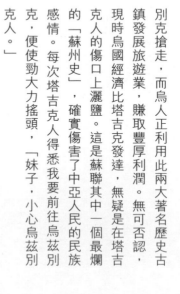

許多塔吉克朋友憤憤不平地訴說，位於烏茲別克斯坦、作為古時東西方交匯十字口的兩大古絲綢重鎮撒馬爾罕（Samarqand）和布哈拉（Bukhara），本應屬於塔吉克，現時亦居住了大量塔吉克族人。那曾是塔吉克人（與伊朗同源）的薩曼王朝首都和副都，印證了波斯文明的輝煌，及後卻被蘇聯劃分予突厥族的烏茲別克，實在匪夷所思，人神共憤。波斯同源的伊朗及阿富汗兩國亦極為不滿，她們認為塔吉克的文化遺產都被烏茲別克搶走，而烏人正利用此兩大著名歷史古鎮發展旅遊業，賺取豐厚利潤。無可否認，現時烏國經濟比塔吉克發達，無疑是在塔吉克人的傷口上灑鹽。這是蘇聯其中一個最爛的「蘇州史」，確實傷害了中亞人民的民族感情。每次塔吉克人得悉我要前往烏茲別克，便使勁大力搖頭，「妹子，小心烏茲別克人。」

差透的第一印象

我乘著一輛由俄羅斯人跟法國人合駕的私家車，從塔吉克首都出發到撒馬爾罕。他們是從挪威出發，一部車橫跨歐亞板塊，經瑞典、芬蘭、俄羅斯到哈薩克，再日夜趕路到吉爾吉斯、塔吉克、烏茲別克，取道哈薩克西部，最後回去俄羅斯，全程只花四個星期，走了幾千里，聽著已令人疲倦不堪。這次，我們一起過陸路海關，卻想不到花了三小時在清關。曾聽聞過，烏茲別克海關會把你隨身行李全部倒出，並審查你的手機相簿有否「政治不正確」的照片。可能我外表很

乖，隨便搜了五分鐘就完成了。只是出境後，卻等了俄羅斯朋友一小時。法國司機呢？三小時。海關把行李不客氣地嘩啦嘩啦倒出，更要求開啟手提電腦。私家車的每條窗隙也要用電筒照著檢查，又吩咐法國朋友清空車尾箱。我差點懷疑自己在跟甲級重犯旅行。更令人無語是，當大下午只有我們一架私家車，如果有好幾輛的話，以其慢條斯理的工作態度，尾隨的車可能要等上半天。

在等候他們之際，有一個年青海關人員用手示意我走到他旁邊，似是要對我悄悄話，我就把耳朵面向他的嘴巴。誰知他居然伸出舌頭，用力舔我的耳珠，更狂甩我的耳孔。我一下子嚇倒，馬上退後。這男的真大膽，他還是個政府人員，竟敢如此荒唐。嗯，

我開始認同苦盞哥説的話，加上與阿塞拜疆男和 Saman 道別，我沒精打采走到這個中亞最矚目的古城。

讓人退卻的商業化味道

跟 Saman 分開，我深感內疚。每件事情有得必有失。有旅伴時，確能互相照應，卻失去自由浪蕩的機會；一個人時，你擁有自由，但失去互相照應的方便。不過，我相信一個人旅行，就是創造與自己對話的空間，讓你更清楚自己的長短處，更能學會如何臨危不變，處變不驚。這刻她在塔什干，我在撒馬爾罕。

來到烏茲別克，絕對要遵守生存法則：下午千萬不能出去，否則被太陽活生生蒸熟。第一天來到撒馬爾罕，沒頭沒腦的我就被蒸到半生熟。記住清晨早點起來，出去逛布滿伊斯蘭幾何特色的神學院、莊嚴寧靜而金碧絢爛的清真寺、雕工細膩的宣禮塔，下午就回來午睡，黃昏再出去。

撒馬爾罕絕對令人眼前一亮，靜看夕陽照射在整列驚艷而浮華璀璨的波斯建築群，波斯藍閃閃發亮，時光彷彿回流到千多年前薩曼王朝的繁華盛世。你不得不被古代建築師的波斯藝術觸覺所震撼。那是成吉思汗和帖木兒統領過的大城，如此久遠的歷史，如今如此接近。可是，撒馬爾罕的商業化味道也令人敬而遠之。也難怪，此鎮本不屬於烏茲別克。許多人認為當局把古城弄得四不像，如今撒馬爾罕像是一個新都會多於一個歷史古城。我所幻想的神學院應是願音裊裊，傳出陣陣誦經聲，現在才發現，帖木兒帝國裏全是手信店。

我穿上塔吉克服裝大搖大擺地走在街上，所有人都以為我是本地人，連遊客也用俄語向我問路。我這張「國際臉」，果然在所有地方都被認錯成當地人。就算之後到了伊朗，還是好多人以為我是住在伊朗的阿富汗或土庫曼後裔。好處是我用了本地價進入博物館，避開貴三倍的旅客價。

326

"привет. сколько, пожалуйста?"（你好，請問門票多少錢？）

"вы откуда?"（你來自哪裏？）

"Ташкент."（塔什干。）

"5000сом."（5,000元。）

"один человек. Спасибо!"（一張票，謝謝！）

（我只會幾隻俄語生字。）小孩子千萬不要學習逃票。

請讓我離開！

不知哪來的念頭，我還走去喝街上噴泉池噴出的「過濾水」。如夢初醒，我只是長得像當地人，可沒有當地人的腸胃。我跑回旅舍，請老闆急召醫生。第一次在國外被刺屁股，竟然在烏茲別克。一支針盛惠十五港元，便宜得可怕。會不會有愛滋？算了，反正已刺了。最後，我瀉了三個星期，直至離開烏茲別克。

可能八字不合，我只想快點逃離撒馬爾罕。翌日我就收拾好背包，衝往客運站。一輪擾擾攘攘，被一個個挺著大肚腩的的士司機圍著，每個粗魯的胖叔叔爭先恐後開出車費，大家都打量著我。我逼不得已發動獅吼功：「為甚麼你們因為我是外國人，就打算敲我一筆？我不過是一個普通人！」

要看一個國家的人民的人品，就得看他們的士司機的態度。在吉爾吉斯，明碼實價；在塔吉克，免你車資，卻要取你的電話號碼；在庫爾德，好客得還要送你小食，我甚至被逼放下車費，拔腿逃跑；在伊朗就被摸大腿，親親手。在烏茲別克呢？注定是吵吵鬧鬧。

我累了！我瘋了！我想離開烏茲別克！

14

遇見台灣女生

學外語第一課要學甚麼？正確，就是髒話。用在甚麼時候？當然是面對的士司機敲詐時。我從撒馬爾罕來到另一旅遊城市布哈拉，前往訂好的酒店。手上拿著谷歌全球定位系統，眼見的士司機在古城迷宮裏繞路，就像坐在家中沙發上，看著小強在地上跑來跑去。我一直碎碎念俄語髒話，預備跳車，先發制人。

明明一公里的路，小強卻跑了七公里，還要多收我三倍價錢。我連珠炮發一團俄式髒話，驚動了旅舍老闆。她跑出來，看到我在練習俄語就捧腹大笑。老闆說這裏沒我的事，讓她處理。我氣沖沖走入旅舍，站在旅舍門口的女生被我嚇倒。久違的華人臉孔，直覺告訴我她是台灣人。

齊瀏海，梳馬尾，朱古力色肌膚，身穿運動外套及短褲，這個不能再熟悉的中學時代

籃球校隊裝束，竟然出現在烏茲別克的土壤上，親切得來卻帶點衝擊。她是 Beth，後來成為我最要好的台灣朋友。

給烏茲別克第二次機會

她告訴我原本從烏魯木齊騎單車到哈薩克，怎料得了腳傷，只能背包旅行，待在烏茲別克經已兩星期多了。我與她分享吉爾吉斯和塔吉克的人文風光，她雙眼發光，又羨慕我走了四斯坦。我說你不用羨慕，下年再來逛逛吧。

我跟她說：「我很討厭烏茲別克。」對於一個很愛烏茲別克的人來講，這句說話可能有點無禮且冒犯。然而，她告訴我：「當初來到烏茲別克，我也覺得很旅遊商業化。但是我待得愈久，愈愛上這個國家的人和事。」

「你要給予他們一個機會，給予你自己一個機會，更深入了解這片樂土。」這句說話，一直在我心裏。

Beth 帶我逛布哈拉古城區，波斯建築還是沒令人失望，美得讓人停止呼吸。可是，太陽毒辣得把 Beth 曬成朱古力，她臉一直苦苦的，濃度維持大概 90%。原來她真的快中暑，而且因為逛得太久肚子餓，我馬上帶她醫肚。看她吃過飯後就展現笑容，感謝阿拉，她沒生氣。在一個只需十分鐘就能把一件濕漉漉衣服曬乾的地方，我實實在在忠告大家，千萬不要下午外出，不然會變人乾。

難得遇上華人，我終可再次展現「瘋婆」本色。她要先去首都塔什干（Tashkent），我們約定在費爾干納（Fergana）再見。我們坐上蘇式小巴前往火車站，又被當地人發現我們是外國人。我用有限的俄語跟他們溝通。我跟旁邊的婆婆說，我有一個塔吉克「男朋友」，並把手機裏的照片展示給她看。其他乘客也好奇，結果手機傳到幾個女人手上。我說他是阿塞拜疆人，帥吧！她們都說 "очень красивый. "（非常帥）烏茲別克男女關係保守，結婚前沒有甚麼約會，但她們還是對外國戀愛很好奇，婆婆也不例

古城布哈拉曾是伊斯蘭神學研究中心。
（歷史小知識：鄭和是消滅帖木兒王朝，並建立布哈拉汗國的國王後裔。）

外。最後，婆婆還請我跟她回家，想煮晚飯我吃。Beth 把眼睛瞪到最大，一臉難以置信。

我陪 Beth 等火車，中間發生了小插曲。在我們面前坐著一家三口。天真爛漫的女兒得意忘形地吹著泡泡水，我忙著替她拍照。突然傳來響亮的「啪」一聲，原來先生在大庭廣眾下，一巴掌摑太太的臉。太太一直用手扶著泛紅的臉頰，我望了 Beth 一眼，Beth 眼神告訴我不要節外生枝。如果發生在香港，我肯定上前指罵那個男的。但坐在我們旁邊的一大群男人，也只是袖手旁觀，可想而知，烏茲別克的男女地位如何不平等。我後悔沒有痛罵那個男人，一直很擔心是否助長了家暴。但是作為過路人，我能改變甚麼？

最好客的費爾干納

幾天後，我出發到費爾干納，一處我敢肯定是全中亞最好客的地區，也是奧什後，另一等著被點燃的火藥庫。費爾干納盆地位於烏茲別克、塔吉克和吉爾吉斯的交界處，是中亞人口最密集的地區之一，住了一百九十個民族，就像是整個中亞的縮影。之前提過，史太林在地圖上隨意畫一條線就把費爾干納給劃分了，根本沒有按照天然地理河流山脊有條理地分界，如此讓各族交叉混居，民族矛盾當然沒完沒了。任何在費爾干納的政治小動作，都輕易引發各族騷亂。過去各族衝突，死傷無數，政府因此不敢輕舉妄動。加上地形複雜，對費爾干納控制有限，毒品走私盛行，也成為中亞恐怖主義溫床。不過，當我聽說那裏人文風情淳樸，沒想太多，出發吧！

我依著 Beth 傳來的民宿地圖，來到一座蘇式樓房。Beth 在三樓窗口伸出頭來，大聲跟我打招呼。後來，她帶我逛費爾干納的巴扎，又不經意地讓整個市場的人知道我們是外國人。好多人招手讓我們過去，送我們青瓜、提子，又請喝茶。我又一直為他們的生活百態拍照，儘管他們在努力工作，面對鏡

OVQAT MAH
LOTLARI

DVD

頭卻從不吝嗇微笑。

一句朗朗上口的歌詞 "Oh baby please don't push push push...... Push me down" 環繞整個巴扎。「一千零一夜」配上現代流行音樂節奏，貌似格格不入，卻提醒自己身處現代。這首羅馬尼亞歌紅遍整個中亞、高加索，以至東歐，至今仍陪伴著我。我跟 Beth 在 CD 店前跳舞，被叫賣大鑊的大媽一臉嫌棄。我馬上跟費爾干納墜入愛河，這裏的人太可愛了。好多帥哥，好多微笑。來到烏茲別克第七天，今天是最愉快的。

費爾干納是絲綢出產重地，但由於時間不足，我無法參觀造絲廠，只能逛一下 Margilan Bazaar，看看他們的絲綢成品。在費爾干納出發時，有一個小男孩主動幫我們找車，更幫我們議價，卻不需要任何回報。其實，幫忙從來是如此純粹。我們城市人經常想太多，總盤算著會否有利益衝突，浪費時間。

「你看，有好多好事發生。」

「因為有你在身邊，甚麼東西都變好。」

感激路上遇見的人

我們回到塔什干後，又經歷了不少趣事。在烏茲別克外出最搞笑一幕，每個人帶著黑膠袋，裏面放了一疊疊磚頭。因為烏茲別克最大面值的紙幣是 5000 烏幣，當時黑市匯率為 1 美元兑 6300 烏幣，所以每次交房租都要數十多張紙幣。有一次，我未注意到我那疊磚頭全是 1000 烏幣紙幣。天啊！於是 Beth 趴在 Hostel 的地氈上，教我如何快速數銀紙。後來，我發現有商家索性放紙幣在電子磅上秤一秤就算，懶得數錢。

有一晚我們一起徒步，睡在同一帳幕下，看著流星雨。我把心安定下來，問 Beth「不知道明年的今天，我們在哪裏呢？」她沒回答我，因為她已經睡了。她後來沒有足夠美金在烏茲別克逗留，我二話不説給她五十美

金，「你以後幫我洗衣服就好，不用還給我。」

當我們在火車站分道揚鑣，兩個人抱頭哭得唏里嘩啦。我們不知道甚麼時候再見，雖然才相處一個星期多，可情感是如此深刻。

我相信每個在旅途上出現的人，都是有意義的。有些人走了不留痕跡，有些人卻給你啟發，讓你之後的路更好走。Beth，是你稀釋了我對烏茲別克的暴戾之氣。凡事存感激之心，以平靜的心面對，就會否極泰來。親愛的好姊妹，有緣再見。

淚別鹹海

與Beth道別後，雙眼通紅，再次踏上一個人的旅途。坐了十九個小時火車前往烏茲別克境內的卡拉卡爾帕克斯坦共和國（Karakalpakstan）首府努庫斯（Nukus）。

我試過最長的火車征戰大概五十五小時，從廣州到西藏；在印度坐過的，動輒也要十多個小時。長途征戰，早已習慣。我最著緊的是能吃、能拉、能睡，還有能跟乘客們溝通溝通。烏茲別克火車卧鋪車廂就像內地軟卧那種，一個包廂有兩邊上下卧鋪。走廊就如印度火車的格局，又放一對上下卧鋪。日間，大家都會坐在下鋪，互相認識，一起度過沉悶的火車之旅。我跟一家三口分享一個包廂，旁邊的年輕母親遞我一杯紅茶，父親給我一塊饟，盡顯烏茲別克傳統好客文化。對當地人而言，我就像一件奇珍異物，每個人都前來探個究竟。好多人聽見有華人，都特意穿梭無數個車廂，只為看我一眼。我會

來到熱情國度，首先要學會習慣被集郵。

一點點俄語，他們便順理成章以為我能講流利俄語，就一直巴拉巴拉。一路走來，我總結了一件事：在中亞，讓人知道你是外國人，其實是一件危險的事，因你完全不能抗拒他們的好客。

為了打發坐火車的時間，我向他們展示之前旅行的照片。第一張照片肯定是吉爾吉斯外婆大壽派對的合照，之後都是在塔吉克的生活點滴。

「這是哪裏？」

「塔吉克。」

「塔吉克很危險！」

「塔吉克人也說烏茲別克很危險。」

我們都捧腹大笑，他們好像都明白甚麼道理。

「你們全部都是好人啊！」

曾經的鹹海，現在已是一片荒蕪之地。

消失的鹹海

穿越那片寂靜的紅沙漠，零零星星的湖泊還是倒映著毒辣的太陽。這大片黃沙曾是昔日繁華的絲綢主路，後來歷經蘇聯的改造，如今只剩下荒涼。火車抵達努庫斯，原來卡拉卡爾帕克人跟烏茲別克本土人並不相像，反而跟哈薩克族有著極相似的語言和外表。這個共和國從前是中亞較富裕的地區，如今只能默默哀嘆。一般旅客來到，一是衝著藝術館而來，那裏收藏著曾被蘇聯打壓而偷運而來的前衛藝術品，二是轉往小鎮木伊那克（Moynaq），為的是窺探一場令人嘆息的生態災難。

鹹海，有五百多萬年歷史，曾是世界上第四大湖泊，卻在五十年內消失了六萬平方公里，預計2020年將會完全消失，乾涸的速度絕對能打入健力士世界紀錄，這些都是拜前蘇聯所賜。從木伊那克步行到已消失的鹹海遺址，沙塵滾滾，吹來一陣陣大自然的哀號聲。寥寥可數的船墳墓，見證著鹹海昔日的年華到今日的消亡。此刻，眼眶滲出淚水，相信並非吹沙入眼。

你無法想像到，面前毫無生機的沙漠，從前卻是一片生機勃勃的汪洋。原鹹海位於哈薩克和烏茲別克之間，由發源於帕米爾的阿姆河和發源於天山的錫爾河（Syr Darya）匯合而成，在各湖岸形成巨大的三角洲，擁有肥沃的土地，極有利大規模農業發展。鹹海裏有千多個小島，曾被稱為島之海。在全盛時期，鹹海面積更相當於斯里蘭卡的國土面積。生態同樣多元化，曾存有多達六百種魚類，其豐富的水資源造就了劃時代的漁業，單是漁獲已佔前蘇聯的六分一。在1921年俄國大饑荒時，鹹海漁民送了十四車箱漁獲到莫斯科，列寧也特此寫信答謝。

不過，一切被蘇聯毀於一旦，其社會主義建設計劃使鹹海踏上消亡之路。於上世紀六十年代起，蘇聯興建大規模的引水灌溉工程，把阿姆河和錫爾河的河流改道至貧瘠荒地，使注入鹹海的水愈來愈少。由於蘇聯期望在那些貧瘠地區打造最大棉花生產地，導致灌溉用水的需求與日俱增。結果，水利工程所謂成功，使棉花及其他農作物豐收，出現了經濟奇蹟。

然而，這只是預支了鹹海的未來而已。兩河流域的農業過度發展，大量化肥和殺蟲劑流入河流，慢慢匯進鹹海。鹹海的鹽濃度因而上升，導致大量魚類死亡，原生動植物滅絕。1980 年初，鹹海漁業正式宣告終止。令人憤慨的是，大量水道、溝渠質素非常參差，加上流經的地區為半乾旱氣候，估計有 75% 的水在傳送時被蒸發或泄漏掉。水資源的不善利用令鹹海乾涸速度加快，加劇荒漠化，甚至令南、北鹹海分開。

大自然的報復

可恨的是，原來一眾蘇聯高官早已知道這個惡果，未料到是大自然的報復。隨著鹹海海岸線後退，河岸暴露出水面，讓荒漠化加劇，增加沙塵暴吹襲的機會，人類終究自食

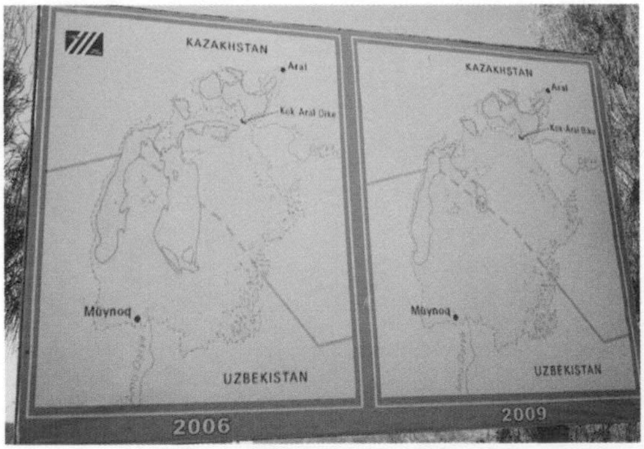

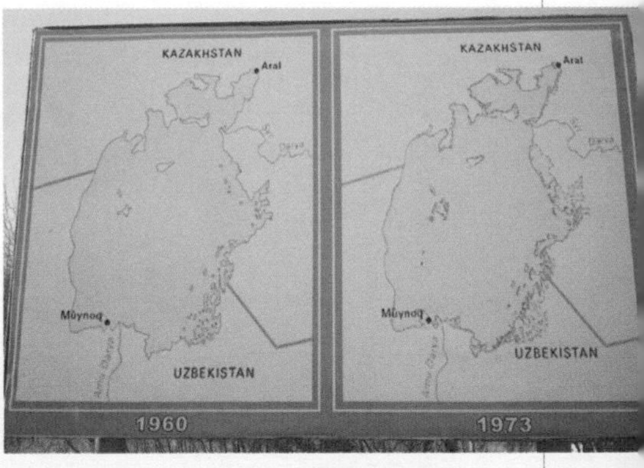

地圖標示著鹹海面積的演變。

其果。沙塵暴刮起鹹海有毒的沉積物及大量鹽分，吹向阿姆河兩岸的良田，破壞他們曾引以為傲的農地，更危害人民的健康。在努庫斯，許多居民患上貧血病，患癌機率上升 3000%。最令人無奈的是蘇聯解體後，留下爛攤子予烏茲別克和哈薩克。試想像，有人盜取你最有價值的東西，並低價轉售圖利，最後更破壞你的家園，卻不需負上任何責任，拍拍屁股就走，你卻被逼承受這一切，甚至百病纏身，這就是卡拉卡爾帕克斯坦人現今面臨的境況。犧牲鹹海，賠上健康，成就勞動密集式的棉花業，更出現嚴重的童工及勞工剝削問題。蘇聯又「成功」留下了「蘇州史」。

廢棄的船屍之間，飄泊著奇異的氣息。那是苟延殘喘的呼叫聲，誰都無法承受如利劍直指心臟的刺痛感。那是鹹海最後的聲音。

以前在地理課上，甚麼「荒漠化」、「土壤鹽化」、「毛細管作用」，總以為離我很遠，只出現在高考筆記裏。今天來到這裏，慘不忍睹。人類自以為是的程度已病入膏肓，終自取其咎。我坐著共乘車回去，強忍淚水，再望司機，他依舊木無表情。我想他經已麻木，默默接受這一切，亦無處聲討。也是的，那是無法扭轉的事實，鹹海已被黃沙淹沒在過去的地圖上。

16 古城男女觀察學

從鹹海來到希瓦（Khiva），我不得不合上雙眼，十指扣緊：「上帝啊！真主阿拉啊！她近在咫尺啊！我就在邊境了，你為甚麼就不讓我到土庫曼！我的畢業旅行是衝著土庫曼而來。上帝，你甘心看到你的子民傷心嗎？」可惜這個世界沒有神跡，張開眼，我還是在烏茲別克。

每個遊人前來希瓦，不外乎兩個原因：在前往土庫曼前的最後一個補給站做好準備，或是為了見證花剌子模王朝鼎盛一時的希瓦古城。第一個原因顯然與我無關，所以我來希瓦就是為了看古城。幾百年前，古人說「願意以兩袋黃金，只看希瓦一眼」，如今我不用花兩袋黃金，只需十多港元，挺划算。

希瓦是我目前看過最愛的古城，也是最有古代情調的沙漠之城，沒有之一。希瓦曾為絲綢之路重鎮，歲月沒抹走她的風華。一大清

花剌子模民族布。

早從城門進入古城，一整排莊嚴的清真寺、古樸的神學院、宣禮塔映入眼簾，令人忘記自己身處廿一世紀。古色古香的泥土黃建築配上繁複的波斯花紋，街上穿著色彩繽紛花剌子模民族服的百姓，行走在其中，有種回到中世紀的感覺。走運的話，還可以看到新人拍結婚照。能與心愛的人行走在古城，想必是少女們的夢想。有時間的話，一定要爬上宣禮塔。儘管塔內的樓梯非常狹窄和陡峭，必須手腳並用，爬至一半已汗流浹背，然而當你想到俯瞰希瓦全景曾價值兩袋黃金，便會一股作氣衝上塔頂。

「因為我是男人」

隨便穿梭小巷，四十五度的天氣下，很自然轉到一家販賣手工品的店鋪。有冷空調，也看中它的烏茲別克大衣，更看中店主本人……誠實可靠的性格，不如其他奸商告訴我外套是絲質，事實是絲混棉。他英語講得特別好，因此容易打開對話框。店主笑稱，跟老婆吵架是用英語，因為小孩聽不懂。

我向店主表達自己鬱悶的心情，全因沒辦法過去土庫曼。老闆問我喜歡土庫曼的原因？沒有，就是喜歡她們的傳統刺繡。他告訴我，在希瓦的本地市集，有賣一些土庫曼刺繡領子，可以為我找位裁縫做一件土庫曼傳統裙。

走在前往市集的路上，我問他：「你愛你老婆嗎？」

「喔……當然愛。」

我再追問：「喔！為甚麼要想五秒呢？」

「因為我有兩個女朋友。」

「去年呢？」

「三個」

我不解，再問：「那麼你容許你老婆有男朋友嗎？」

「不行！」

「為甚麼呢？這不太公平，你可以有女友，她就不能有男友，這是甚麼邏輯？」

他堅定的說：「因為我是男人！如果他有男友，我會把她捏死。」

「我朋友做醫生的，他今年有十個女友。對於烏茲別克男人，這是很普遍的現象。你們香港男人不是這樣嗎？」

「那我要幫你問問香港的男性朋友了，但普遍都不會這樣吧！」

「香港男人真慘！」

「哈哈。老闆！我真幸運，不是在烏茲別克出生。聽到你們男人這樣子，我害怕談戀愛。」

「對，你是幸運。不用害怕，你要做我女友嗎？」

買完刺繡，找完裁縫，一個人在古城打轉。傍晚的希瓦令人不小心以為坐了時光機回古代，我就像歷史故事圖畫裏的小姑娘，泥土黃的建築被陽光照得耀眼輝煌，誰都不察覺我是現代人。突然有男人用英語問我要不要包車旅遊，剎那戳破我的古代夢泡沫。我一句"No"，引起前面一位穿著時尚的女人注意。她問我能否說英語，又問我要不要喝杯咖啡。媽，要在烏茲別克找到個會流利英語的當地女人，和駱駝穿針一樣難。沒經半秒思考，我就答應了。

我的烏茲別克姊姊

「你來我家待多久都行，一年也行。」這個女人後來成為我的烏茲別克姊姊。她邀請我到她家去，甚至希望我在此留宿。很可惜這個國家不可思議的律法規定，外國人每天必須入住酒店。出境時，海關會查你的每張酒店註冊證明，缺少一天證明，也可能面臨罰款。

在我臨離開烏茲別克前一天，姊姊陪伴我到車程兩小時以外的努庫斯，又幫我找到便宜住宿，同鎮其他酒店需要三十美金一晚，我的卻只需八美金。如果在香港，我會不會陪伴一個才認識數天的人到兩小時以外的地方

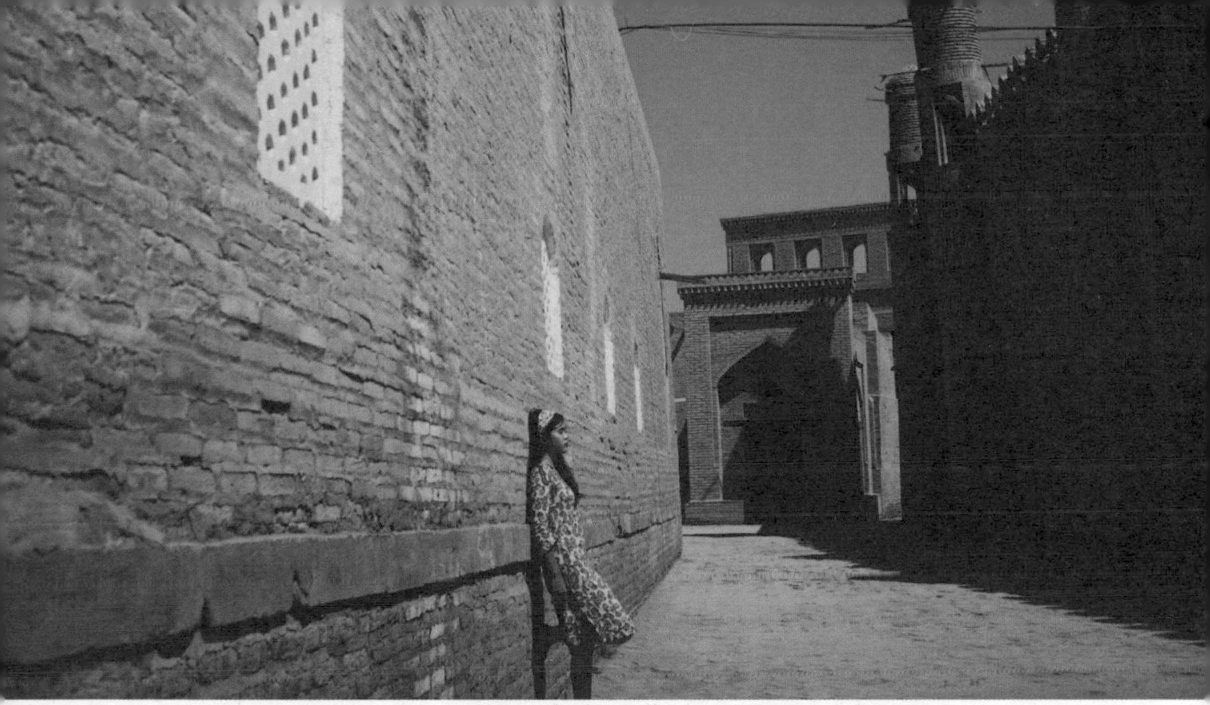

呢？我開始了解到台灣女生的說話，你要給點時間，便會發現有很多友善的烏茲別克人在身邊。

我們來到咖啡廳聊天，她問及我對烏茲別克的感受。已經最後一天，亦即在烏茲別克呆了廿二天。當初第一天踏入烏茲別克，不存在任何好感，巴不得第二天離開。結果，她成為了我在四斯坦國中逗留時間最長的。

「謝謝你姊姊。你讓我在這裏留下美好回憶。但不可不承認真的非常討厭這個國家的男人。」

她點頭認同：「烏茲別克的男人是非常不可信。所以，當初我嫁給了俄羅斯人。」

姊姊的先生因交通意外，兩年前過身，留下兩個兒子。我感到很遺憾，沒打算追問下去。

「這亦是我沒再嫁的原因。百分之九十九的

烏茲別克姊姊和我被日本旅客集郵。

烏茲別克男人有太太和孩子後，亦一直在外面滾，又會對妻兒使用暴力。不忠貞是整個中亞地區的男人通病。但是，我先生很顧家，很尊重女性，從不打女人。」

還會想結婚嗎？

在各中亞斯坦國中，本地人口都有一至兩成是俄羅斯裔，大部分從蘇聯時期遷移過來。他們大多為中產階級，後代有接受過較良好教育。一般而言，如果女人能嫁給俄羅斯裔的男人，婚姻都會備受滿滿的祝福，而且大多是自由戀愛，並非盲婚啞嫁。

姊姊痛失丈夫，小孩成為她堅強生活下去的動力。她積極在海外尋找工作，計劃到土耳其。有趣的是，原來她是土耳其和烏茲別克的混血兒，會說流利土耳其語。「我好討厭烏茲別克，不單止是男人，連整個國家的前途都是暗淡的。」她的夢想就是帶著兒子移民他鄉。

這晚，我心情很沉重。在烏茲別克二十多天，觀察男女關係，很難想像中亞女人為何視婚姻為人生終極目標。這場旅行對我最深遠的其中一個影響，就是擴大了我對兩性關係的陰影面積。作為一個來去匆匆的局外人，這裏的男人視我為最好的秘密守護者，守護著全國男人公開的秘密，又或許只是向外國人炫耀本國男人的雄風，卻深深打擊了曾對婚姻充滿期待的我。

唉！我看古城，看得如此沉重。

17 我「被第三者」了！

土庫曼簽證泡湯，必須進行B計劃改往伊朗。從哈薩克裏海城市阿克套飛往阿塞拜疆首都巴庫（Baku）轉機，是最省錢的方法。這個故事發生在卡拉卡爾帕克斯坦共和國前往阿克套的二十六個小時火車上，主人翁是一個膽大包天的男人。

那天清晨五時，火車站開閘，我應聲彈出，找到車卡，對應上層床位號碼。我一身土庫曼厚絨紅長裙，直接當成睡衣，鑽進被窩裏，昏睡去。三小時過去，車長擾人清夢，向我吐出一團俄語，吩咐我交出護照，核對身分。往下望，有一大群乘客，還有一大堆膜餅，茶香縈繞。我肚子餓得很，於是下床，下層的人只是冷冷看著。心想有個外國傻女人在餓著，你們不要只盯著看吧，好歹也請我喝點熱茶。下床到走廊走走看，聽到他們竊竊私語，原來以為我是土庫曼人。

回到本來位置，隔壁男人突然問我："Can you speak English?" 噢，我假裝土庫曼人身分曝光了，肯定是車長踢爆我，別隨便把護照資料公開好嗎？

無微不至的臭男人

男人請我吃麵包，我半推半就，最後吃掉三個牛肉包；又請我喝茶，我半推半就，最後喝了兩大杯；又請我吃雪糕，叫我別害羞，所以我一口氣吃了一大杯；他要再送我一顆蜜瓜，瞬間便一分為二。「我打算分享給朋友，可以嗎？」我有一個加拿大朋友在其他車廂，於是他陪我走過去。

穿過一個又一個車卡時，我們聊到身分認同。他強調自己是卡拉卡爾帕克斯坦人。我想測試看看是否像我強調自己是香港人的情況一樣。「你根本就是烏茲別克人，你們卡拉卡爾帕克斯坦終究還是在烏茲別克境內的。」他果然生氣地指責我。活在這個星球，我們並不孤獨。

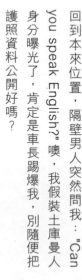

根據在烏茲別克打滾兩星期的經驗，十個烏茲別克男人，十個都不太可靠。送完蜜瓜後，他跟隨我背後，說我身材很好。果然不出所料，烏茲別克男人都是同一模樣。我跟他說：「你媽的，烏茲別克男人都是好色之徒，整個火車都是女人，去看別的臀部，別煩我。」

不過，我又不想自閉在一程廿六小時的火車，有個會講英語的人陪伴，可以預防自閉症，所以接下來我一直跟他無聊地耍嘴。「我很討厭烏茲別克！你知道嗎？就在上一次坐火車，我就被一個大叔非禮了。」「抱歉，我很遺憾。放心，我不會碰你的……」

晚上，他幫我蓋被，又關窗，又問我要喝水嗎。就在說晚安的時候，他說對我一見鍾情。「媽的！去找你的烏茲別克美女，別煩我，你這個差勁的烏茲別克男人。」

到了哈薩克後，他幫我安頓好酒店的事情。後來帶我去沙灘，但他不會游泳。住在沙漠

阿克套近郊荒漠中的清真寺。

的人，從未游泳我還能接受，但抵受過零下四十五度的人竟然跟我講廿五度的水很冷。

「你真的很差勁，你這個烏茲別克男人！」

他有超多哈薩克朋友，每次我説要去哪裏，他都總有一個會開車的朋友來接送我，還會吩咐朋友不要在車裏抽煙。他怕私家車轉彎時我的頭會亂碰車門，所以一直用雙手充當人肉安全帶。我告訴他，在烏茲別克瘦了四公斤，他一直嚷著要買一堆垃圾食物給我。我裙子短得快走光，他拉長我的裙擺。我説我要哭了，他馬上給我肩膀。

老實説，我很久沒如此依賴一個男人。「我只想要單身生活，不想著陸。」「我沒打算把你當成我女朋友，就是想愛護你，不想你被別人欺負。」

這天，我要去機場了。我還沒認真説一句正常的，只顧一整天指責他是臭男人。其實我衷心感謝他，只是一直耍嘴來掩飾自己的不捨。或許未來要找丈夫，就是要找個對你無微不至地照顧、以你為先的人。在中亞旅程的最後四天，想不到如此深刻。

十個烏茲別克男人，十個都……

不過事情總不會這麼簡單。讓我們把時間撥回至火車上……

臭男人身邊總有一個好兄弟，通常都是好好先生，他叫奧斯卡。奧斯卡是第一個發現我華人身分的乘客，他有華人朋友，所以一下拆穿我的東洋鏡，我才發現錯怪車長。奧斯卡同樣是卡拉卡爾帕克斯坦人，但早已移民到阿克套。他慨嘆家鄉從前因鹹海而致富，今天又因鹹海而滅亡。奧斯卡不得不離鄉，跑到阿克套當石油公司的工程師。

比起臭男人，我更喜愛與奧斯卡聊天，至少話題能扯到政治層面，聊聊前蘇聯如何破壞卡拉卡爾帕克斯坦，説説哈薩克政府如何貪污，把自身天然資源「進貢」給俄羅斯。他亦很關愛朋友，總是提醒我如果遇到甚麼困難，記得要告訴他。有一天，他把這句話重複了好幾次，直到我離開哈薩克。之後，我們一直保持聯絡，每月都會問候對方甚麼的。

旅程結束後的半年，有天，我在手機安裝通訊程式Telegram。只要你手機通訊錄裏的聯絡人加入了，系統都會通知你。大概如此，臭男人知道我安裝了此程式。

「你好！你近來好嗎？」

「還好。」

對話就此結束……不！不！三個小時後，螢幕出現一個不知名的烏茲別克電話號碼。

「你是赫赤嗎？」用俄語寫道。

我說看不懂，估計他用翻譯器再跟我打招呼。

「是的。你是誰？」

「我是臭男人耶。」

「是嗎？」

「我很掛念你，還記得那晚嗎？」

「那晚？當然記得啦。那晚送我到機場，我不捨得你。」

「那晚，很爽！」

「吓？」

「你很性感。床上功夫太好。」

此時一個黑人問號，直覺告訴我，這個亂入的，並非臭男人也。

相隔十五分鐘，「你聽著，臭婆娘，我知道你跟我的男人上床了。你以為自己是誰，很性感嗎？別再來烏茲別克，你會死得很慘。」

我真的傻眼了，立即傳信息給奧斯卡，想驗證一下臭男人是否真的如此惡臭。

「奧斯卡，你那個臭朋友是有老婆的嗎？」

「是的。」

「你為甚麼不告訴我？要是知道他有老婆，

全世界最大的內陸湖——裏海。

我會跟他少點接觸。現在人家的老婆誤會了。臭男人肯定想我為他的外遇女友充當替死鬼。」

「我一直都有提醒你！你還記得我經常說，如果遇到甚麼困難，記得要告訴我嗎？我就是注意到臭朋友對你有意思，才提醒你多加注意。」

「你的溫馨提示麻煩可以再溫馨一點。我純粹以為你這樣說，就是讓我在哈薩克旅遊上有何問題，可以找你詢問下。」

「不！你怎麼會不明白我用意？」

這個令人哭笑不得的誤會，這場「被第三者」的鬧劇，引證了「十個烏茲別克男人，十個都不太可靠」的傳說。

令人沉醉的萬花筒——伊朗篇

18 幻想與真實的伊朗

進入伊朗前，請格式化對其固有的刻板印象。

伊朗有恐怖主義，就如說香港的元朗、屯門有牛一樣。我們不排除元朗、屯門有牛，但概括整個元朗、屯門四處都是牛，幻想新界人都是騎牛上學，就是不可思議。正如我們不排除有恐怖份子埋伏在伊朗，但非每個伊朗人都是恐怖份子。有些人概括「伊」字頭的國家就是邪惡、推崇戰爭的國家，活在「國際大都會」卻如此不了解中東局勢，強說別人落後，其實自己最落後，暴露了低下的文化智商。

可是，我前往伊朗的原因，並不是為了驗證有沒有牛，只是聽說當地人民熱情好客，一面倒對伊朗讚不絕口，彷彿是人間樂土。可是，期望愈大，失望難免愈大。

那些不快的、討厭的

我並不如一般前往伊朗的旅人一樣，一直被當地人邀請吃飯，反而在旅行初段，一直被邀到家裏按摩。在伊朗沙發衝浪網上，我收到百五條邀請訊息，一百四十七條是由男沙發主發出，其中好幾條第一句就是"You are beautiful"、"I really like you. Can I be your boyfriend?"、"I can give you massage. I have a big dick."。可能每一個伊朗男人都幻想著，自己要當上著名古代阿拉伯愛情故事男主角瘋人Majnun，以為瘋癲式示愛就代表盛意拳拳。

在沙漠迷宮亞茲德（Yazd），走上圖書館天台觀看全景，被職員無恥的問可否親一下；坐過幾次的士，被司機摸手後求婚；在被譽為「半個世界」的伊斯法罕（Esfahan），每四小時就被問：「來我家，我幫你按摩好嗎？」、「你愛我嗎？」；最瘋癲一次，就是沙發主在我腿邊射精。人類總在道德邊緣掙扎的興奮心理，與及害怕被發現的罪惡感之間徘徊，享

受、沉溺在黑色漩渦。這是變態，卻是普遍存在。我披上頭紗，不敢直望男人的雙眼，彷彿微笑都是一種罪。這是一種前所未有的壓迫感。

在伊斯法罕廣場，有好幾位伊朗女士跟我聊天。她們介乎廿八至三十五歲，問我喜歡伊朗嗎？我直接回答不太喜歡這兒的男人。她們臉有難色，轉移話題，談到婚姻，她們為自己仍是單身而驕傲著。此刻，我害怕得萌生中止旅程的念頭。我為甚麼要來這裏？這曾是我朝思暮想的國度。結果，我來了，伊朗男人卻用透視眼看我，我來可不是充當你自慰的幻想對象。

我縮在亞茲德的迷宮一角，那裏沒遊人。有車經過，我只好低頭，抱著膝蓋，讓淚水沖走一切痛苦。激動時，連地上的沙粒都融化了。

還是要勇往直前

直至遇上設拉子（Shiraz）的她和庫爾德的他，把我從黑暗中拉回來。慢慢沉澱下來，想起我最喜愛的旅遊作家原老未。我猜，她也曾在路上遇過如此荒謬的事，那究竟是甚麼讓她繼續前進呢？走到第三個月了，我該不會就此放棄吧？人生總有一段路布滿荊棘，阻止你前進。我呢？如果我不堅毅，誰替我堅毅？我不會讓他們搞垮這一切，絕不會在此畫上句號，有趣的事還等著我發掘。

伊朗曾親美的近代史，人民盲目追崇西方民主能帶給新希望；被西方馬賽克掉模樣、上世紀滿街迷你裙與當代濃妝艷抹的聰穎伊朗女人；愛臉子的民族，連打招呼也要以死效勞於你；無法預料的逆向文化，現今年青人愛好歐美文化，整容也要按著安祖蓮娜祖莉（Angelina Jolie）而加厚嘴唇，又喝酒吃豬肉，以非穆斯林的身分而感到自豪；少數民族的下場，庫爾德人（Kurd）、土庫曼人（Turkmen）、遜尼派教徒，職場上的歧視；千年文明古國波斯，從拜火教到伊斯蘭教……真實的伊朗擊破我的幻想，但這裏實在太多值得研究的事物。

伊朗，我很討厭你，但你卻讓我太沉醉。

而我亦永不放棄。

19

聽聽伊朗的故事

打開庫爾德沙發主的家門，進入華麗的客廳，沙發主的爸爸正在收看某個在伊朗被禁的外國電視台，轉頭望向我，第一句話居然是：「黃之鋒怎樣了？」一言驚醒洛克人，伊朗人亦會留意香港時事？相信接下來幾天，我將有意想不到的收穫。

沙發主的家就如一所貴族皇廷，採用實木傢俬，配上高貴而罕見的裸粉系波斯真絲地氈。日間柔和光線穿透白蕾絲，溫柔地照在我那黝黑的手背上。木櫃還陳列著來自世界各地的古董。如此貴氣，相信來頭不簡單。

「這是我曾曾爺爺留下來的。」沙發主端出一篇以相框鑲起的先人文章，內容大概是他們的祖屋被無情火燒掉了，但曾曾爺爺並沒感到沮喪，並視之為真主帶來的考驗。原來，他們家族幾代都是地主，作為上流階層，享盡榮華富貴，這種考驗沒為他們帶來

太大打擊。可是誰都沒預料到，來到庫爾德爸爸這一代，卻面對更嚴峻的考驗。

俱往矣的光輝歲月

爸爸帶我到客廳的角落，一張張珍貴黑白照在木架上陳列著。有一張，裏面的女人身穿短裙、露出雙腿，又沒戴頭巾。沒頭沒腦的我問道：「這是在國外旅行拍的嗎？」

「不是，這是在伊斯蘭革命前拍的。我太太做教師時，跟一眾師生合照。」

「原來以前伊朗女人並沒受衣服約束的！怎麼自由會倒退了？」我又指著一張比堅尼女郎照片，「伊朗女人以前可以公開穿三點式呢！」

爸爸沉默了數秒，然後垂頭喪氣的說：「可惡的革命毀掉我們的生活。女人從前可以在沙灘游泳，不用戴頭巾。我們以前是戀愛自由、宗教自由。伊朗也曾是經濟強國，軍力

在二戰後更躋身全球五強。現在規定女人戴頭巾、某些宗教被禁止，甚麼經濟力量、軍力已經沒戲了。」

「我們以前過得很好。」究竟發生了甚麼事情？一場革命竟不是帶來進步，而是倒退？「伊朗真是挺悲情的國家。」他踏上波斯地氈，坐在木椅上，跟我細說那段不堪的歷史。

眾所周知，發現石油是中東波斯灣地區致富的原因。中東第一個開採油田的國家，正是伊朗，但開採者卻是英國人，在1908年開始挖走屬於伊朗境內的石油。二戰後，許多殖民地紛紛宣布獨立，民族自決是大勢所趨。不過，有些非常有價值的經濟資源，列國當然不願放手，特別是這些「黑金」。

1951年，伊朗民選首相摩薩台誕生，受到民眾愛戴。他宣布石油國有化，把屬於自己的東西取回來，停止國家利益幾十年來被剝削。在此之前，伊朗石油一直被英國操控，及後美國亦同時擁有開採權。1953年，美國中情局派出間諜收買德黑蘭政府官員、記者、宗教人物和一些惡霸，發動宣傳戰，最後成功發動阿賈克斯行動，推翻民選政府，石油再次落入外國手上。這是第一個令人心情沉重的伊朗故事。

以前刷社交媒體，好多人都拒絕相信美國政府做出顛覆他國政治的事情，認為是沒有事實根據的陰謀論。然而，這段伊朗歷史應該有足夠說服力吧？

時代巨輪下的無力感

歷史堂繼續。後來伊朗進一步走下坡，爸爸指出國內宗教狂熱者的問題，推使國家步入萬劫不復的深淵。

「國王時期，我們真的很幸福。國王把年青人送到法國留學，所以今天我們的話語中混合了法語，最常說的『謝謝（Merci）』就是在當時開始流行。我們那時候衣食無憂，生活快樂，去歐洲也不需簽證。我們曾被視為發達國家之一。」

然而，國內的保守派強烈反對國王推行各種西化及世俗化的措施，直斥這種行為沾污了植根於伊朗的傳統伊斯蘭文化，抵觸宗教禁忌，伊斯蘭革命一觸即發。

「我不明白為何這場革命得到群眾支持，或許他們認為霍梅尼（國王被推翻後的第一任首相）會帶來民主和自由。但你現在看到我們有自由嗎？書籍、電影，甚至電視節目也被政府監控。政治打壓、性別隔離、女性面對不平等對待，原來這個結果就是他們所追求的！」爸爸憤慨地訴說。

我感到整件事很矛盾。推翻國王是為了結束君主立憲，建立自由民主政府。諷刺的是他們的民主概念源於西方，與他們反西方文化入侵的口號自相矛盾。似乎是順著世界潮流而盲目吹捧民主，取締君主立憲制，但後來確立的神權政治，或許比以前更專制。

庫爾德男人。

伊朗料理經常有薯條伴飯。

「可以吃飯了。」媽媽打斷我們的對話。我們走到飯廳，拉開木椅。現在只是十二點多而已，但我的腦袋已經很沉重。

「爸爸，你以前做甚麼的？」

「他做軍人的。」沙發主答，所以現在有一筆不錯的退休金。感謝阿拉，讓這家人在不堪的時期安然渡過。

「那你有否參加過兩伊戰爭？」

「有。我殺過人。」

「殺人那刻，你不感到內疚嗎？」我眉頭皺著。

「沒辦法。我不殺敵人，就會被殺。」

我們都活在歷史的巨輪上，有時候無能為力，有時候身不由己。政治太複雜，複雜得想以「討厭政治」來把這篇文章草草了事，可是誰都躲不過政治。今天自掃門前雪，他日政治找上門，誰都不能獨善其身。無論如何，我還是逼迫自己努力了解政治的黑暗藝術，至少要知道看似光明之事，底下亦暗藏黑暗的大半部；看似黑暗之事，背面又原來充滿苦澀辛酸。了解過伊朗令人無奈的過去，或許會多一個角度思考自己國家的情況。

全球最好客的民族

來伊朗是衝著庫爾德人而來。聞說庫爾德人是全宇宙最好客、友善的人，有著源遠流長的族群歷史。我本打算勇闖伊拉克的庫爾德區，後來朋友建議改往伊朗的庫爾德區，就不用冒生命危險。我住在庫爾德爸爸家，沙發主建議我去看看庫爾德最美的村莊帕蘭甘（Palangan）。

我從薩南達季（Sanandaj）出發，截了一架共乘的士。途中，司機不斷跟外面的人打招呼，盡顯親民。有一個老婆婆上車，送了一朵向日葵給司機，數百米後就下車。不曉得他們是否認識對方，但覺得庫爾德人是溫暖無比的族群。驚奇的事在我下車時發生，司機竟然不收我車費！會否太好客了？畢竟跑了二十多公里路。最後我趁他不為意，將車費放座椅上，然後逃跑去。

在徒步的時候，突然聽到對岸有庫爾德家庭

呼喚我，幾個家人更特意過來扶我過河，邀請我一同野餐。《孤獨星球》裏面有句話：「如果你認為伊朗波斯人已經很好客的話，那麼庫爾德人更是十倍的好客」、「每一個伊朗人肯定有一個庫爾德族朋友」。你絕對難以抗拒庫爾德人的熱情，好客早已滲透他們的民族血液中。

那麼庫爾德人究竟是何方神聖呢？他們是擁有二千多年歷史的古老民族，人口龐大，總共三千多萬，為中東地區第四大民族。他們沒有屬於自己的國家，散布在土耳其、伊拉克、敘利亞和伊朗等地區。由於他們所居住的位置山勢險要，有如與世隔絕，即使曾被多個外族王朝如奧斯曼帝國和波斯帝國統治過，仍能保留傳統習俗。城市所遇見的路人衣著打扮，亦是庫爾德族傳統承傳下來的。庫爾德人講誠信、好客，曾有的士司機因迷路減收我車費，甚至不收車費。

愛和平卻被壓迫

庫爾德人愛好和平，遺憾的是他們卻身處於世界的火藥中心。庫爾德在伊拉克有一個自治區，情況跟香港相若，有自治權，有自己區旗，他們甚至擁有自己的軍隊。垷在對抗「伊斯蘭國」的戰隊，就有好幾隊由庫爾德人組成。全世界庫爾德人中，約三千多萬散落在土耳其。由於語言、文化、價值觀的衝突，自近代以來，土耳其一直殘忍地壓迫他們，例如強迫庫爾德人做奴隸、禁止他們使用庫爾德語，甚至逼使他們遷離居住了千多年的地方。幻想有天政府禁止我們自稱「香港人」及使用廣東話，你就會深切明白庫爾德人的感受。

在伊朗，庫爾德人口數目也有七百多萬。與土耳其比較，伊朗對庫爾德人尚算溫和。然而根據觀察，伊朗政府或多或少也正在帶頭歧視這個少數民族，很大程度是因為文化和宗教差異。例如大部分庫爾德人為遜尼派穆斯林，與什葉派為主的伊朗不同。應徵工作

（左）庫爾德男人傳統衣著，好像龍珠超級撒亞人的裝扮。

（右）庫爾德女人頭飾。

時，宗教信仰往往是會否被錄用的關鍵，所以庫爾德人經常應徵失敗。庫爾德省公路的便利程度，亦遠低於中部省份的大城市，庫爾德省中心薩南達季的城市建設就明顯較遜色。一個友好族群被人貶成二等公民，我感到非常遺憾。善良的庫爾德族值得更好！

進入帕蘭甘時，手機一度失去訊號，沙發主因為整天無法聯繫上我，表現得非常焦急。我終於回到家時，他深深擁抱我，「我差點就駕車去找你了，實在太令人擔心。感謝上天，你平安回來。」我頓時受寵若驚。沙發主是個細心的男人，我直言因為伊斯法罕一役，導致自己對男人完全失去信心。他向我表示遺憾，亦痛恨政府破壞了原本美好的社會。「波斯人和我們庫爾德人，本來主張保護女人，而且忠貞是我們的核心價值。我們的政府泯滅了原本的美德」、「我不同於其他男人，我尊重女性」，我對他放十萬個心。

我靜靜觀察他們家的分工情況。每一天都是

伊朗婚禮，熱鬧非常。

母親煮飯。吃完飯後，我總以為穆斯林國的男人都是坐在一旁看電視，可是我看到的是沙發主收拾餐具，爸爸則負責洗碗，媽媽就負責抹乾洗淨好的餐具。我特別深刻，因為這才是真正的「家」。

沙發主帶我出席一個親友的婚禮。第一次參加伊朗的婚禮，而且更是庫爾德人的婚禮，非常榮幸，我又在走運了。宴會裏面，每個人盛裝出席，女人都卸下臉紗，秀事業線的、秀腿的、露背的、露秀髮的，她們本來就如此傾國傾城。沙發主提過在私人派對中，裝束是不受規限，所以在侷促的環境下，伊朗人特別喜歡派對，絕不放過盡情展露自己真性情的時刻。宴會播著清脆而重節拍的庫爾德傳統曲，哄得全場舞動。你很難想像在沒綵排的情況下，台上所有嘉賓都會跳同一種舞步，而且絕無出錯，非常一致。在此，你感受到那種頑強的民族性。很難想像一個民族被幾個國家分隔，但民族傳統依然安然無恙地承傳下來。你相信庫爾德終有一天能得到民族自決嗎？至少我支持！

戴頭巾如何？不戴又如何？

婚禮結束後，我們駕車回家。路途上，我問沙發主：「你支持伊朗女人戴頭巾嗎？」

「我非常討厭那塊頭巾，那是強權的象徵，那是抹走人們臉上笑容、侮辱所有人的物件。」

伊斯蘭教不逼迫別人信奉他們的宗教，可伊朗政府當自己是神一樣。在所謂「政教合一」的伊朗政體，律法融入所謂「伊斯蘭法」，其中規定女性必須跟隨伊斯蘭教「傳統」戴上頭巾。許多阿拉伯朋友跟我説過同一句話：「那些頭巾、袍衣屬於每個國家傳統文化的一部分，並不是宗教硬性規定的衣服模樣。」換言之，政府利用宗教原因包裝自己施行暴政的動機，以強化自己「神權」的地位。

沒戴頭巾的穆斯林就代表不虔誠嗎？人們爭議個體虔誠與否時，經常把焦點放在如何膜拜、如

何穿、如何吃，卻忘記宗教的終極意義。更何況，宗教本來就是個人選擇。好多一知半解的人跑來問我：「甚麼？原來穆斯林可以不戴頭巾？甚麼？原來有穆斯林只娶一個老婆？」我沒氣力去解釋。強迫別人成為你心中所想像的所謂「虔誠」的模樣，其實跟政府當自己是神，同出一轍。「穆斯林嗎？他應該怎樣怎樣的」這些事情，還是留待阿拉去判斷，不是我們。

沙發主續說：「我們作為男人，覺得這是在侮辱我。說露出頭髮就會引人犯罪，那是甚麼狗屁話？政府間接當我們男人是狗，一隻不會自我控制的野狗，見到女人就狗衝嗎？」

願上天眷顧庫爾德人

沙發主一一數出對政府的不滿，他對國家零希望。「你看，革命三十多年後，我們還是停滯不前。」他希望有天能夠移民澳洲，過新生活。「我已經預料到，在澳洲會面對歧視的問題，但總好過留在沒有前途的國家。」

「願阿拉祝福你！」

「其實我不是穆斯林，即使我從小就念《古蘭經》。」

「哈哈！也是。我從小就讀《聖經》，也不見得我是基督徒。所以你沒有信仰嗎？」

經常被有宗教信仰的人問道："Why you don't have religion?" 在不少人心中，沒有宗教信仰就代表心靈空虛，欠缺人生寄託及意義。我的答案跟沙發主和後來遇上的S小姐一樣："I believe in humanity." 這是植根於每個人內心深處的天性。

他帶我看過三次日落，看著光禿禿的山瞬間被陽光照得金碧輝煌；他駕車與我穿梭庫爾德的瀑布，洗走我對伊朗的戾氣；他平實地展現庫爾德人的好客與熱誠；他又吸著水煙呼訴對國家的失望，甚至想遠走他鄉，永不

回來。

最後，那一程車，他突然説了一句："I love the way you are. You are the only one here who is able to see my inner beauty. I'm really grateful for everything you've done for me. Merci!"

我衷心祝福你和所有庫爾德人。你們值得更好！

21 哈佛畢業的伊朗女生

離開庫爾德，起行前往位於伊朗北部鄰近裏海的吉蘭省（Gilan）首府拉什特（Rasht）。聽聞吉蘭是伊朗人的後花園，鄰近全球最大鹹湖裏海，溫暖潮濕的空氣為伊朗帶來一片綠洲。伊朗人特別愛好綠色，夏季時，各地旅客四方八面湧到吉蘭。機緣巧合下，認識了沙發主N小姐，她在美國哈佛大學公共行政系碩士畢業，來頭實在太猛了。最有趣的是，她選擇回來伊朗，於一間小型志願機構工作。我本打算從庫爾德，取道大不里士（Tabriz），直接上亞美尼亞。因為她，我特意繞道。

N小姐一身五顏六色的便服，也刻意配上出色的頭巾。她說：「這是我對強權無聲的反抗。它愈要壓迫女人，愈要我們穿上那性無感的黑袍，我們愈要對抗。」她小時候就與母親和兩個哥哥相依為命。本來是工程師，後來得到獎學金，遠赴美國進修。媽媽思

想開通，讓女兒自由飛翔，探索生命歷程。Z小姐崇尚自由，不打算結婚，她認為單身生活，專注事業，是自己的理想生活。同時她也感到內疚，因為無法達到母親的期望，「我的同學們都去了聯合國工作，好幾個在各國當外交官。」原來她回來伊朗，只為陪伴母親。她捨不得母親，母親亦捨不得家園，「不過，有天我還是要移居外國」。是的，心中那朵自由之花，不能阻止她終有天燦爛盛放。

父系社會的女中豪傑

在伊朗，經常遇上像Z小姐如此聰穎的女人。在街道上隨便找個女生，都可以跟你聊聊詩人哈菲茲的詩詞。基本上，我在伊朗認識的女生都擁有深厚的文化造詣，大多大學畢業，更有的在攻讀博士學位。我到過德黑蘭一間著名大學，圖書館裏就遇見一群法律系女同學。獲得柏林影展金熊獎的電影《伊朗的士笑看人生》（*Taxi*），當中捧著一大把玫瑰花的女人Nasrin Sotoudeh正是一位女維權律師，因多番為異見人士辯護而觸怒政府，被禁止執業十年。伊朗女人能成為律師絕非稀奇之事，其實當今伊朗副總統也是一位女性。

伊朗是父系社會，這點毋庸置疑。然而，伊朗女性地位也並非低至只能做牛做馬。西方傳媒一直以被馬賽克掉的女性面孔來代表伊朗，甚至整個中東地區的女性。戴頭巾的中東女人，彷彿就等同愚昧及絕對服從。事實上，伊朗女性普遍得到良好教育。我也知道一位德黑蘭女生在學習國語，講得比我更流利之外，更能背誦唐詩三百首。而且，她正在進修中醫，希望讓伊朗醫學多一個選擇。她了解到中華文化博大精深，太多值得深入學習的地方，還特意學習繁體字。有時候，我非常佩服伊朗人的求學精神，以及他們貢獻社會、造福人群之心。

然而，隨著一群女知識分子崛起，與傳統守舊派產生張力。從衣著自由到政治參與，她們不屑伊朗政府針對女性處處掣肘。N小姐說：「伊朗確是一個令女性嚴重壓抑的地方。很多時候，她們要從狹小的空間抒發對自由的渴望，其中一個就是外觀。透過化妝、整容，成為表達自由的渠道。」伊朗女人整容非常普遍，最喜歡整矮鼻根、豐唇、強化蘋果肌，常以美國女星安祖蓮娜祖莉作為參考指標。在伊朗街道上，你不難發現女士們「撞臉」。對於化妝，她們特別愛好鮮艷的唇色，為了加深輪廓，也經常在臉部強化陰影效果。「伊朗女人已經在許多領域上受限制，只有對自己的臉享受最大的自主權。所以，你會看到好多伊朗女人有一張『膠臉』。」我哭笑不得，但確是反映現實。

狹縫中的自由之花

在伊朗呆了一段時間，慢慢領悟了一種道理：你愈逼迫一個人，他愈會絕地反擊。其中，伊朗電影事業在世界享負盛名，包括獲得奧斯卡最佳外語片的《伊朗式分居》（*A Separation*）及剛才提及的《伊朗的士笑看人生》。可笑的是，這些電影均被當局

封殺，原因當然是涉及「國家安全」問題。以《伊朗的士笑看人生》導演 Jafar Panahi 為例，他在被當局軟禁之時，在計程車內偷偷完成整齣電影製作。在狹窄的環境、有限的條件下，仍能拍出如此大作，教人萬分佩服。

伊朗失業率高企，年青人畢業就是失業。慶幸的是，伊朗人非常重視藝術發展，許多人依然欣賞波斯藝術文化，尤其在如此壓抑的社會，藝術能讓人抒發情感，展現自我，所以藝術發展成為另一出路。在德黑蘭不難發現文青咖啡廳、手作市集，Instagram 上亦不乏伊朗文青出售藝術作品。大部分作品極具波斯特色，亦充分體現了伊朗人的藝術細胞。有人説過，波斯千年智慧成一支筆，伊朗作為二千五百年的文明古國，文學舉世聞名。很多人把伊朗著名詩人的詩詞，融合在首飾或手機殼上，當中的信息耐人尋味——有關愛情的、有關政治隱含的、有關對美的追求的。藝術創作成為另一發洩對社會情感的渠道。

我問 N 小姐：「他朝有天你移民了，還會回來嗎？」

「我覺得我是世界公民，還在世界各地到處跑。但是我從小到大就在這裏學習自己的文化，我的根在這裏。我盼望有天伊朗能成為令我再次留戀的地方。」

22

我有兩個老婆

清晨六點來到設拉子，也就是那個熱門「照騙點」粉紅清真寺的所在城市。經過伊斯法罕一役後，我只接受家庭沙發主或女沙發主。一個二十歲的女大學生邀請我到她家作客，稱她做S小姐吧。她電召計程車到客運站接我，自稱是S朋友的司機，把我載到十二公里外的近郊地方。下車時，S小姐睡眼惺忪地跟我臉貼臉打招呼。我們第一次見面還不到一小時，就睡在同一床上。枕邊這個人見人愛的女生，竟然有兩個母親。

她家是典型伊朗人家居，客廳一大張波斯地氈、一張沙發、一部電視。S小姐介紹她的母親，母親卸下頭巾，濃眉大眼，帶著冷酷的笑容。我悄悄問：「她是你親生母親，還是另外那個？」S小姐笑說：「這是我親生母親啊！你看，母親二號在洗衣。」「那麼，你是叫母親二號『母親』還是怎樣？」「我叫她做阿姨，否則兩個母親會同時回

應我。」令人摸不著頭腦的是，怎麼兩個母親能同一屋簷下，還有講有笑？「你母親能接受阿姨嗎？」「誰會願意跟別人分享老公？」「那麼你恨父親跟二母嗎？」「不會，他們很愛我。」

根據伊朗所謂「政教合一」的律法，男人最多可娶四個老婆。當然，現實是並不普遍，因為男人必須有能力平均分配財產予每個太太，所以只有富裕的男人才做到。而且要迎娶第二個太太的話，必須得到元配首肯。事實上，面對如此情況，隨著愈來愈多伊朗女性經濟獨立，更多女性會選擇離婚，多於啞忍。

「為甚麼你母親允許阿姨入門呢？」「因為那時候母親已經有孩子了。要知道，在伊朗離婚後，孩子很大機會判給父親撫養。她擔心繼母對我們不好，所以就讓父親再娶，不離婚，讓她有機會繼續照顧我們。」

這是愛，母愛。

一冷一熱的齊人之福

看到父親星期一在客廳擁抱元配，星期二又抽著水煙親吻阿姨，我心裏不是味兒。究竟如何同時愛上兩個人？可能這正是所謂的齊人之福。有一晚，他們帶我到阿姨的別墅，S小姐跟阿姨的兒子相處融洽，又帶我認識阿姨的親人，那些與她毫無血緣關係的人。後來，又帶我到大婆的別墅，這次兩家人都在這裏。父親問我：「你們香港可以娶兩個老婆嗎？」「不行，一夫一妻制。」父親連珠炮發不斷提問有關香港婚姻的問題，好像在替我著想。「香港夫妻要是離婚的話，孩子跟誰？財產怎樣分配？」父親性情剛烈，氣質直逼謝賢，盡顯一家之主霸氣。他做地產的，收入是當地醫生的兩倍，怪不得可以抱得兩個美人歸。

父親邀請我與阿姨一起跳舞。波斯音樂比印度寶萊塢音樂更熱鬧、更傳統。伴隨音樂節拍，我使出渾身解數，使出拿手的印度脖子功，左右擺動頭部，絲毫無損霸氣。幸好，我從前學過三個月寶萊塢舞蹈，還會一點印式蘭花手，恰巧跟波斯舞蹈相似，哄得他們拍手叫好，被稱讚婀娜多姿的我得意洋洋。突然，阿姨一個「大胸功」，伴隨節拍，胸部向天衝，輕易的向左右擺動，再來個肚皮神功。我只能背向她，扭著屁股回應她的攻擊。接下來，爸爸給我一個難題：「你們香港有甚麼傳統舞步嗎？」我絞盡腦汁，難道要弘揚家燕姐的「十字步」？無法子，只好跟隨阿姨的舞步，學習真正的波斯舞蹈。

以一場舞蹈來結束一整天的辛勞，絕對是累。我看時間，已經凌晨兩點。我發現伊朗人絕對是「夜鬼」，我興奮得不能入睡，怎樣早起行山？現在，我總算明白為何爸爸會迎娶阿姨。阿姨活潑好動，愛笑，跟元配的冷酷性格有極大對比，可能這是迎合爸爸每天不同心情的需要吧。有時候要冷，有時候要熱。

秘密柴可夫男友

可爸爸還是不好惹，S小姐千叮萬囑：「千萬不要告訴我父母我有男朋友，還有行山的事情。否則，我會被禁足。」看著崇尚西方文化的S小姐如何避過父母監察，綻放魅力收兵，煞是有趣。

原來載我到S小姐家的計程車司機正是她男友，所以每一次出門，S小姐便順理成章電召她的柴可夫司機。我經常被逼當上電燈膽，看著他們打情罵俏，S小姐咬男友的手臂，又經常說話逗他。其實伊朗年輕人之間的男女關係，跟我們差不多吧！

有天，我問S小姐的同父異母哥哥：「為甚麼有些男人要兩個老婆呢？」他答：「你為甚麼有時候看電影要在電視看，有時候要到戲院看？」我大力拍他手臂：「對啊！現在還能在電話線上看。那麼，為甚麼女人不行？」

「將來要是你結婚，你容許你的家庭像現在一樣嗎？」

「不行。人的美德就是專一。」

冷靜與熱情之間——高加索篇

23

截順風車到第一基督國

我從大不利茲（Tabriz）鄰近城鎮焦勒法（Jolfa）出發到亞美尼亞邊境。不知為何，我找不到合乘車前往，乾脆在公路上截順風車。在這趟旅程中，我絕少截順風車，可今天截了兩次，走了百多公里路。

我在公路口舉起手指公有一個多小時，可沒人停下來。這不是伊朗嗎？我以為熱情好客的他們至少會好奇停下來，後來我才知道這是髒話手勢，而且一個女人在伊朗公路上截車，代表會提供性服務，怪不得沒人給我停車，哈哈。後來，有個一直在旁修水管的工程師跑過來，問我是否去亞美尼亞，說可以送我一程。太好了，上車！

他們不會英語，恰好車廂有白板，於是我們以畫會友。他在白板上畫了一筒雪糕，然後就停靠在商店旁，回來送我一支朱古力雪條。

好心載我一程的司機們。

經典伊朗紅茶配可怕的棒糖。

瀑布景區。

送我雪條，他還向我道謝。這是穆斯林的邏輯，認為受助者給予他們機會彰顯穆斯林的友善和好客，做神所喜悅的事情。不過剛認識，他們就帶我逛瀑布園區，又因有熟人，不用入場費。到達伊朗邊境後，他們還邀請我下次來伊朗，到家裏作客，又一直目送我離開，直到我完成所有海關檢查。出來走走，好人好事總害得我淚腺崩潰。我沒辦法給甚麼報酬，給錢可能惹怒他們，沾污他們的好意。我能給的，只有感激的眼神，並將互助精神傳遞下去。

通過伊朗海關檢查後，要過一條亞伊友誼橋，才能到達亞美尼亞關口。在橋的對岸，亞美尼亞海關一直揮動手臂。心想揮甚麼？再近看，原來他在示意我脫頭巾。我嗅到自由的氣息！我終於可以扔掉這條壓迫女性的魔巾。連亞美尼亞海關都通過，久違的自由氣息直逼我的鼻腔。

驚喜的無花果

來到邊境城市找旅舍，誰知都客滿了。一個三十多歲的男人剛好經過，建議我可以下榻他的無花果工場。我沒想太多，去吧！他載我來到公路旁的小屋，十足藏屍案的案發現場，旁邊有條小溪，我預想到屍體發脹的情況。別嚇自己，小哥是好人。工場裏尚有其他員工，每個人都在紀錄著無花果的數據。小哥送我一整箱無花果，讓我盡情吃。怎麼有種最後晚餐的感覺？其實，這是我人生第一次吃無花果，一口氣吃了二十多顆，後來才知道在香港一顆賣二十港元──嘩！我就這樣把四百多元送到肚裏。哈，今早還在惆悵如何到伊朗邊境，現在已經痛快地吃我的無花果。

以前總認為一成不變的旅程才令人踏實。後來發現，旅途的不安定充滿了驚喜和刺激，有時候會摸到荊棘，有時候會找到甜在心頭的無花果。慢慢把不安定當成舒適圈的一部分，嘗試不同的新事物，才發現注定走在這條不歸路，成為自己心中自由行走的花。

突然，窗外嘩啦嘩啦起來，這是三個月來，我經歷的第一場大雨。這場雨下得好，洗走我對伊朗的不安，歡迎我重回自由的世界。小哥說，可以讓我在這裏好好待著，當一晚無花果園的看更，明早七時在公路截蘇式小巴前往首都葉里溫（Yerevan）。

踏足高加索

亞美尼亞是本旅程第一個非穆斯林的國家，也是第一個高加索國家，可是，她同樣悲情。亞美尼亞是歷史上第一個以基督教為國教的古老國家，心痛的是神山亞拉臘（Mount Ararat）已經不屬於她們了。在《聖經》創世紀中，挪亞方舟所停靠的地方就是亞拉臘山，如今此山已歸入土耳其境

當看更一整晚，有狗相伴。

亞美尼亞小哥們 。

內。神山亞拉臘在每個亞美尼亞人心中都有著至高無上的地位，其國徽中央正是亞拉臘山。土耳其跟亞美尼亞絕對是世仇。說起亞美尼亞，總會聯想起土耳其對亞美尼亞人進行大屠殺，土耳其當局至今依然不承認。那場大屠殺導致六百多萬亞美尼亞人被迫流亡到世界各地，現時，亞美尼亞本土只剩下三百多萬人。

往首都的路上，撥開迷濛的薄霧，秋風正為連綿不絕的山巒披上金黃衣。散落在山巒上的古老教堂，訴說著亞美尼亞源遠流長的歷史。上帝似乎憐憫亞美尼亞，在山巒間流下清澈的眼淚，用眼淚洗淨對敵人的仇恨。

我出發往首都去，讓我好好了解亞美尼亞。

那些女人和男人

我在葉里溫下榻的青旅有不少菲律賓旅客入住，害我一直被人誤認是菲國人。原因是他們在阿聯酋國或者沙地阿拉伯的工作簽證已到期，當時正值伊斯蘭假期，領事館休息，所以他們飛到距離三小時機程而物價又便宜的亞美尼亞，再到駐當地領事館辦簽證，順道旅遊。有菲律賓人的地方，就有結他，就會有菲律賓好聲音。可是，有其他東西比好聲音更吸引。

更勝烏克蘭美女

青旅第一層是接待處，穿過一扇門，迎來一臉音符。大堂有個亞美尼亞玲瓏浮凸的妹妹跟一個菲律賓哥哥在彈結他唱歌。我沒留意哥哥的結他造詣，卻一直留意著哥哥雙眼有否偷看妹妹的胸部，因為真的豐滿得過分。打聽之下，原來是青旅老闆的女兒。

亞美尼亞神山亞拉臘。

在亞美尼亞的超市，收銀都是穿水手服，配迷你格仔短裙。每個目測十八、九歲的妙齡少女，眉清目秀，腿細籃球胸不用說，更沒有戰鬥民族的傲氣，美若天仙，非常親民。我敢說，亞美尼亞女生肯定勝過烏克蘭，不信的自己過來亞美尼亞看看。亞美尼亞男人真幸福，連我也有衝動變性做男人，怪不得愈來愈多菲律賓人過來亞美尼亞，經常看見亞美尼亞女生身邊帶著菲國男友。這些機會是等你們來爭取的。

勇武的男丁

噢，我差點忘記自己也是個女人。另一邊廂的亞美尼亞男生，卻是充滿戰鬥民族的雄風。碰巧遇上亞美尼亞國慶日，走到共和國廣場，場面好不熱鬧。小孩騎膊馬揮動國旗，一對情侶互相為對方臉上畫上國旗，一群老人也穿著昔日釘滿襟章的軍服讓路人拍照，每個人臉上掛著笑容，熱烈祝賀。百姓們有秩序在兩旁站立，好讓軍隊們在主路中間把坦克車駛進廣場。突然空中一聲巨響，原來是三架戰機進行軍事表演，意味著國慶表演正式開始。

過去我都不屑國慶日，尤其是某些專制國家的國慶，我認為群眾臉上的笑容都是裝出來，不明白國家民族主義的狂熱。但經過這天，我深深了解到國慶日在民眾心目中佔有很重要的地位。身旁一個二頭肌發達的男人突然對我說：「我們這次軍事表演，是要向隔壁的阿塞拜疆證明，我們亞美尼亞擁有強勁的軍事力量。」

真霸氣！大丈夫充滿民族鬥志，非常勇武的性格，老娘喜歡！這種霸氣，是源於亞美尼亞和阿塞拜疆的敵對關係。他們在地理上相鄰，但邊境關閉了。如果你的護照有亞美尼亞的入境章，就不能進入阿塞拜疆了，就像如果你有以色列入境章，就不能進入伊朗。至於兩國敵對的原因，要追溯到上世紀九十年代初，兩國為著納戈爾諾．卡拉巴赫（下稱納卡）而發生衝突。納卡原本是在阿塞拜疆國內，但因與亞美尼亞千絲萬縷的關係（根據亞美尼亞人的論點），亞美尼亞人「幫助」納卡人擊退阿塞拜疆，成立了納戈爾諾．卡拉巴赫共和國。現時人口百分百是亞美尼亞人，因此許多亞美尼亞人認為應與納卡統一。

聽著當地猛男訴說歷史，再加上群眾在國慶日興高采烈的情況，令我了解到他們愛國主義的狂熱。愛國主義不多不少源於我族與他族的差別，自身產生優越感而競逐。他們對阿塞拜疆恨之入骨，但我們不能只聽亞美尼亞一面之辭。時間有限，我沒辦法到阿塞拜疆逛逛。在廣場上我碰到香港人，向他們打聽之下，不出所料，阿塞拜疆人只要聞見「亞美」兩個發音字節，就馬上神色大變。而且，他們又有另一個版本的納卡故事。這要待我下回再戰高加索時探個究竟了。

高加索是中亞古文明的發源地，有著人類最古老歷史的痕跡。跟中亞費爾干納盆地一樣，地勢複雜，多元民族，容易發生衝突，又一火藥庫。除了亞美尼亞與阿塞拜疆之間

的紛爭，還有2008年俄羅斯與格魯吉亞為了爭奪南奧塞梯引發的戰爭。

又一次性騷擾事件

大概晚上十點多，我回到旅舍。走入大堂，向接待處的男職員打招呼，就爬上二樓去。二樓大概有六間房間，其中四個房間是男女混合式，有六個床位，全部客滿。雖然客滿，但是菲律賓人習慣早睡，所以沒人跟我爭洗手間。我走進去，沒關門，打算讓全世界看我刷牙。彎身扭開牙膏蓋子時，驟看樓下的男職員上來巡視，送我一個微笑。我視線集中在牙刷上，洗手間門突然被鎖上，我亦感覺到背後有股氣。沒猜錯，那個男職員就在我身後。

我透過鏡子看著他嘴角向上，十

足日本動漫的奸角。我沒特別受驚，在伊朗訓練有素的我，也想看看亞美尼亞男人的招式。他手握我的腰，下體磨擦我屁股，我感覺嘔心得快要吐。他一句，"My dick is big. Do you want to try?" 然後就脱褲子。我轉身看個究竟，他再補一句，"It's a little bit painful. But after that, you adapt and feel very comfortable." 我雙眼瞪著他下身，以科學的角度觀察著，那話兒有水樽那麼大。我不得不驚訝，"Yours is too big. Mine is too small. Can't ar." 亞美尼亞，真是甚麼都被放大了。

至於為甚麼我不害怕，除了因為在伊朗訓練有素，更因二樓所有房間都爆滿，只要我一大叫，誰都會過來探個究竟。這是我的主場。我繼續刷牙，把手放在門柄上：「你該知道我要怎樣了嗎？」他乖乖穿回褲子離開。我心中無數個問號，你們亞美尼亞美女成災，何解要找個扁口扁臉平板電腦如我？我又想起網民曾經説我在印度沒被強姦，是因為樣子問題。

我不鼓勵大家遇到這種事時啞忍，感到不舒服就一定要大叫，就如我在帕米爾高原的第一夜。這次絕對是錯誤示範，拜托各位以此為鑒。我反省是否因對他的態度而產生誤會。是我的微笑嗎？抑或是第一晚我主動跟他聊天，又不斷問他關於亞美尼亞基督教的事情？安全一點，還是不要胡亂對陌生男人微笑，黑臉是王道也。最後，為了戴頭盔，我離開時跟青旅老闆説：「你的員工給我看他的巨龍了。」然後，我頭也不回就衝去往格魯吉亞的小巴站。

25 第比利斯的暴雨

誰令第比利斯（Tbilisi）傷心得滄海盆傾？

我和一個猶太人在一棟破舊樓房避雨。我用手抹過他臉上的水珠，他微笑道謝。

「這場雨給我美好的回憶。我從來未試過手拖著一個女生，在暴雨下嬉笑怒跑。」

「那你以後一定要把我記住。」

「一定！」

一場暴雨令我迷失了。沒有下文，他出發到史太林的故鄉哥里（Gori），我還躲在第比利斯。

我爬上波斯城堡的頂峰，看著色彩繽紛的磚房，還是提不起勁。我穿梭第比利斯的跳蚤市場，發現到處散落著利劍和紅酒。我想，

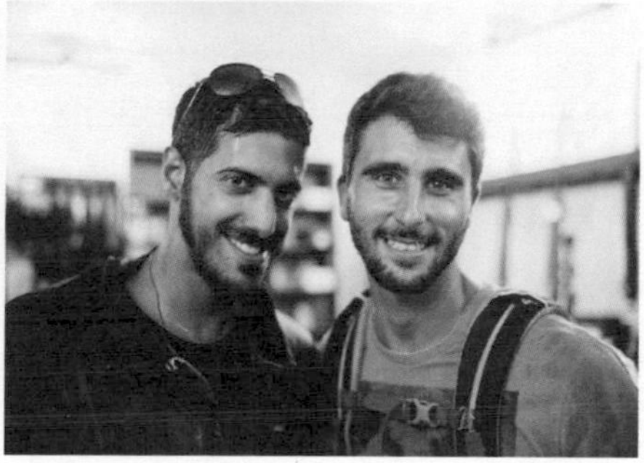

以前的神喝了格魯吉亞紅酒，發瘋用利劍劈開格魯吉亞連綿不絕的雪山，一個個缺口形成山谷，神把未喝完的酒倒在山谷裏，變成今天的第比利斯，而「第比利斯」在古格魯吉語的意思正是溫泉之鄉。聽聞格魯吉亞溫泉能治癒我的混亂思緒，可是姨媽來了，只好跑去茶室發呆。

喝一口沒有澀味的酒

走在熙來攘往的魯斯塔維利大道上，汽車駛過那排五光十色，如光似影的名牌商店，濺在身上的掠影，瞬間飛逝。我哼著楊坤一句「這車道車水馬龍，我能和誰相擁？」

恰似迷途的我走進一家茶室。坐下，點了一杯紅酒。葡萄果香濃郁，清爽醇厚，沒有一絲苦澀，不留下酸味，只遺下甜味。八千多年釀製歷史，終能成就一杯超凡脫俗的紅酒。至今格魯吉亞紅酒依然是我的至愛。

從窗邊看著魯斯塔維利大道上的路人，有些

狼狽趕急、有些慢條斯理。有人曾經問我：「你一個人旅行不怕迷路嗎？」「我沒有目的地，怎麼會迷路？」有目的地的人走路好快，沒有目的地的人慢慢步行。

我再喝一杯紅酒，聽著浪漫的旋律，又再望向窗邊。有人又被車輛激起的浪花濺在身上，彷彿在提醒我，每個人都在不同時間經歷著相同的事情，我並不孤單。

總有一些事情，在每個人的腦海環繞了幾萬周。大概秋雨倍加愁緒，讓我想起四年前曾在大雨中相擁的我們，擁有著最美麗的愛情。那時你天真爛漫的笑容，至今我無法忘記。後來，我們的步伐不一，「我們」慢慢變成「你」和「我」。過去的，如幻似影，彷彿從未發生。現在我發現，原來的澀味早已消散。

26 生日願望注定落空

我曾對伊朗沙發主說，希望在生日能看一場雪，不過這件事注定會落空。計劃九月下旬在伊朗過生日，而這個時份，只有高山才會下雪。計劃總趕不上變化，誰知這時的我身處在格魯吉亞。我未看過相關的遊記，又沒有《孤獨星球》在手，零旅遊資訊，何去何從？

來到陌生的國家，第一站肯定是首都，這裏的旅人有兩種：第一種剛到步開始旅行，第二種是旅程結束要回國的人，我的目標是後者。踏入高加索開始，我放棄玩沙發衝浪，轉找青旅。除了因為格魯吉亞的青旅性價比太高，五美金就有一個舒服的床位，更重要是因為在伊朗做沙發客次數太多了，一直要忙著應酬沙發主，出現社交疲勞。誰知，我這個患上「不聊天會死」絕症的病人，來到青旅還是抓著幾個旅人、青旅職員和老闆聊到三更半夜。遇上對的人，嘴巴總是停不

下來。

我遇到一個廣州人，他正是第二種人。回國前一天，他告訴我格魯吉亞好玩的地方，甚麼卡茲別克（Kazbegi）、姆茨赫塔（Mtskheta）、梅斯蒂亞（Mestia）；另外一個剛到步，行程已安排妥當的廣州女生則極力推介黑海小城巴統（Batumi）。

救我一命的情侶

從第比利斯前往梅斯蒂亞沒有直通車，必須坐火車到中轉站祖格迪迪（Zugdidi）轉車才行。在首都，冒失的我搞錯發車站地點，緊張得不知所措。有一對情侶主動上前幫忙，我説距離發車時間只有五分鐘。我用手拍自己的額頭，真是趕不及了。當時我們在地鐵出閘口，我猜他們剛下班回家。突然，男的幫我提大背包，女的拉著我手衝回地鐵月台，聽著格魯吉亞語的「閘門即將關閉」，然後跳上車廂去。兩口子一直安慰我，不斷説一定趕得及的，不要擔心。我的心情稍稍平復。

大概兩個站後，我們下車，奔跑到真正的發車點。最後，我還是趕不及，而當晚已經再沒有火車到祖格迪迪。他們問我不如下榻在女朋友家，因為明天是她生日，可以一起慶祝。我感動得流淚，你們太好了！還以為來到高加索後，就再找不到如中亞好客熱情善良的人們。我向他們道謝，可是我在格魯吉亞的時間不多，想早點到梅斯蒂亞，打聽之下，一個小時後還有巴士前往。他們兩個執著我的左右手，一起奔跑到巴士站。男朋友付我巴士車票，我把錢塞到他手，女朋友則雙手把車錢有禮地遞給我，「你是我們的客人，謝謝你來格魯吉亞。」其實他們不會英語，卻用了數個英文單字拼湊出他們的善良好客。語言不通從來不是隔膜。只要用心，別人也用心待你，善良的人總會被善待。

巴士上，從玻璃窗看見自己臉上有點水珠。格魯吉亞晚上冷得只有五度，可是當暖和的空氣遇上冷空氣時，就會凝結成水點，而這

正是我流淚的原因。

一時衝動爬上山

睜開眼，我到了祖格迪迪，再睜開眼，已是梅斯蒂亞了。我的旅舍剛好在山腳，走出房間來到露台，眼前猶如油畫。嫩綠青草與連綿不絕的白雪山頭，配合得天衣無縫，加上藍天白雲，人間伊甸園啊！生日這樣過也不賴，多一杯格魯吉亞紅酒就更好了。

我在格魯吉亞的旅程來到第五天，才發現原來這裏也有晴天，不如趁機會出發到 Koruldi Lakes 去。睡得不好，加上三個月旅程累積下來的疲勞，其實我未必能堅持爬五個小時的陡峭山路。但管他的，天氣太好，今天不上的話，明天又可能下狗屎。我乾糧都忘記帶上，就背上背包和腳架，說走就走。

但爬到第一個山坡，我已經很後悔，實在是太累了！前一天在 Mtskheta 爬山，現在的我腰痠背痛，雙腳根本動彈不能。我回頭看下坡，旅館在不遠處，現在還來得及回頭。但當我抬頭看到藍天——不！不！機會實在難得，不！放棄不是我的菜。踏上濕漉漉、的泥土，走那條比高街還要陡峭的山坡，沒氣沒力的我像烏龜，深怕隨時倒下，身旁經過的人瞬間在我眼前變成小螞蟻。處於半放棄狀態，卻逼迫自己勇往直前，我開始享受這種不安感，意志力和忍耐力由此鍛練起來。

「咕嚕咕嚕」，肚子在召喚。出發時，我實在太衝動，連乾糧都忘記帶上。下午四點正，湖泊還在遠處，藍天也正向我揮手説再見。有個格魯吉亞男人可憐我這烏龜，幫我捎了腳架。在一個大斜坡上，我又看到一架吉普車，裏面坐著一個慈祥的以色列老人。看到有顆蘋果放在檔風玻璃前，我餓得不要臉，問他能否請我吃一顆。老人面露笑容，在後座端出一袋蘋果。我豎起食指示意只要一顆而已，他卻把整袋往我手裏塞，再用希伯來文跟其他旅伴説我需要食物。我一直向上走，旅伴們給我蛋糕、清水，甚至是給蛋，太窩心。

來 Koruldi Lakes，是因為廣州朋友大力推薦。他給我看過一張照片，靜止的湖泊倒影

出蔚藍乾淨的天空，旁邊有隻黃牛吃草，屬於典型的高山面貌。千辛萬苦，我來到終點了，結果我看到的是……

下雪了！下雪了！下雪了！快變成冰條的我，瞬間熱血沸騰。真主阿拉、上帝、觀音菩薩，你們果真有聆聽我的聲音，我居然在今天看到人生第一場雪。腦海盡是日本動畫的雪景場節，我要向天空拋上雪球！我要砌雪人！心存信念，上天不會虧待你。

上山不易落山更難

完成夢想，如何回程卻是個問題，估計晚上十點才能回到山腳。這下可頭痛了，我實在已沒力氣，真想有架四驅車載我回家，現在卻只能硬著頭皮，摸黑回去，只怪當初太貪心。一路上有零星的木屋。我擅闖民居，有一家木屋住著一對叔叔，他們端出熱呼呼的格魯吉亞咖啡，還做了格魯吉亞芝士包。這是整個旅程最意外的發現——芝士包竟然可以當國菜！

之

天色漸暗。一個人旅行，最怕是四處無人，又要摸黑上路。三年前的我，仍怕獨自睡覺，後來在第一次背包旅行中居然克服了，沒想到今天要一個人摸黑行山。距離山腳起碼還有三小時路程，我只能一直聽著Christina Grimmie的翻唱，好像跟歌手們一起行山，you are not alone。只是我太倒楣，突然歌手們都變成啞巴。山路崎嶇，漆黑一片，寒雨交加。我不知道能否走出這座山，真的不知道。

突然，背後有滑泥的聲音，往後看，是燈！車頭燈！我馬上揮手，他果真停車。車上有五個大漢，我歸心似箭，沒想太多。我坐在後排，旁邊大叔一直用俄語跟我聊天，另一窗邊的大叔，突然伸手摸我肩膀。初時我不為意，但他愈摸愈下。我已冷得用披肩包裹頭部，連臉都看不清，怎麼都起色心？我瞪著他，又瞪著中間那個大叔，用廣東話大罵：「頂你，你坐中間，個人又咁大份，條友伸隻手過嚟摸我，你唔係唔X知呀！」算了算了，這種事已在伊朗經歷太多。

來自家鄉的生日飯

到山腳後，所有乘客下車，只剩下司機。司機吩咐我坐在他旁邊，問我旅舍地址，安全把我送回。我問要付多少車費？他說：「願主祝福你，亦感謝主給我機會去幫助你。」還送了一顆蘋果。上天總是愚弄我，上一秒地獄，下一秒天堂。

回去旅店，老闆突然要我退房，並搬到旁邊另一家旅店。理由是她沒有看清楚網上預訂，今天其實滿房。沒辦法，我就搬到另一家。驚奇的事發生了，走在走廊上，我已經倦得快要昏迷，久違的廣東話卻突然在我耳邊傳來！我在做夢嗎？原來鄰居是廣州旅客，還在廚房煮蕃茄薯仔湯、蕃茄炒蛋，還有蒸飯。嗚！是真正的家鄉味道，我感動得熱淚盈眶。生日飯是家鄉菜，我真是最幸運的人。這兩天很辛苦，一路上曲折離奇，我沒辦法相信居然都克服了。非常感謝一路上幫助我的人，我相信一切是緣份的微妙。這也是送給自己最好的生日禮物。

27

梅斯蒂亞死裏逃生記

生日翌日，我差點與死神碰面。

在我定時自拍時，河對岸的廣州姨姨突然神色緊張地向我招手，又見到遠方的俄羅斯旅客發呆了。未察覺到是甚麼，耳邊就傳出隆隆的聲音。那刻，我發現如果再不走，就會死掉。我飛身跳到河邊，擦傷了。回頭一看，一塊兩米大的冰石降落在相機兩米距離的地方。只差一點點，香港明天的新聞頭條就是「一名香港女子在自拍時，被山上滾下來的大石擊中」。這種死法肯定被人恥笑到永生。

事後，俄羅斯男問我要不要來一杯八十度的 Vodka 定驚，我才知道剛才有多驚險。我雙腿發抖，廣州姨姨險些要淚崩了。

世事無法預料，一切也是意外。有人說，如果不去旅行，意外就不會發生。抱歉，這句

倖存後，跑跑跳跳地走到烏樹故里看雪山。

話不太對勁。在任何一個地方，意外都可隨時發生。在香港，近年也發生了地鐵爆炸、嚴重車禍、唐樓火災、電梯急墜等傷亡慘重的意外。我有一個很喜歡的教師，突然爆血管全癱，現為半植物人狀態；身邊有親友，幾十年游泳經驗，卻不幸遇溺。別以為死亡跟自己很遠，給自己藉口得過且過，事實是你根本無法預料死神何時找上門來。

誰知意外哪天來？

其實在出發前，我就收到一個不幸的消息。2016 年 6 月，我最喜歡的翻唱歌手 Christina Grimmie，在演唱會被一個有精神問題的樂迷槍殺，不幸過身。打開 *Titanium* 翻唱片段，當她唱出 "You shoot me down but I won't fall. I'm titanium." 我的心碎滿一地。你太有天賦，上天為何要帶走你？

Christina Grimmie 的頻道剛成立時，我已經關注了。她一路走來，實在不容易。後來在 2011 年參加 *The Voice*，奪得第三名，開始實現自己的夢想，開個人演唱會。她是我的偶像，非靠臉蛋、身材取得成就，而是為夢想咬緊牙關努力不懈，終於有一天得到賞識。結果，就這樣突然過世了。我曾想過過幾年，特意去美國看她的演唱會。現在甚麼都沒有了，但她留下的精神卻是永垂不朽——別把夢想棄在一邊，要盡快把它實現。

有人說過要把每一天當成自己的末日。時間不等人，要盡力豐富人生。是的，你要把握現在，別讓自己後悔。誰知哪天有顆大石從天而降呢！

28 論旅伴的重要性

自台灣女生後一個多月，我再也沒找到旅伴。在生日當天碰到廣州阿姨，不是緣分是甚麼？跟她聊天，一見如故，好像認識了十多年的老朋友，事實只認識了五天，而她也比我大至少二十歲。短短五天，經歷生死，一起哭鬧。更重要是，終於可以講返廣東話啦！

時間回到梅斯蒂亞死裏逃生之前的幾個小時。

「認清一個人，只要一場背包旅行就一清二楚。」我極認同這句話。一個人，就算在日常生活如何遮掩自己的缺點，一到旅行時都會表露無遺。我經常建議朋友，如果打算跟一個人結婚的話，先旅行吧！要知道有多少人旅行回來，絕交、分手絕不鮮見。

廣州阿姨跟我吐苦水，正是關於她的旅伴。

對於在網上找旅伴，我有豐富的中伏經驗。她與旅伴S在微信群認識，起初沒察覺甚麼異樣。S說會計劃好所有路線，目標先飛伊朗，再玩高加索到土耳其，最後到摩洛哥就回來。阿姨問要不要幫忙看資料，S回答不需要，又自稱會流利英語，不用擔心溝通。她們出發前，也有嘗試互相了解，特別是講講自己的缺點。這是非常重要的一環，讓對方知道你的問題，總比旅行時才發現雙方不合，不歡而散。阿姨就跟她講：「我雙腿有問題，曾動過手術，可能走路比較慢。」這點我也知道，所以我們一起行山時，都是慢慢前進的，不成問題。

廣州阿姨的頭痛旅伴

但事情最後卻發展得非常糟糕。她們在伊朗旅行時，發現S經常發脾氣，而且臉頰發紅。後來才知道S隱瞞自己有甲亢症，害得阿姨不敢與她講話，擔心無緣無故觸怒她而雷霆大發。

「這樣玩得不爽！那你之後旅程，就像跟木頭旅行。」

「沒辦法。我已經答應會一直走。而且，我這個人會盡量遷就別人，可是遷就她真的非常困難。她不喜歡多人間，只接受分床睡。她要旅舍附廚房和陽台，但是又不願意多付點錢。她為了找有廚房的旅舍，可以花上半天。試過被當地人揶揄是來找廚房還是旅行。」

我哭笑不得。

「她不愛走回頭路，胡亂劈山，擅闖別人的村莊。最慘一次是被狗圍，幸好有村民幫我解困。」

我完全想像不到的情景，居然有人比我更瘋。

「更奇葩的事，她點芬達橙汁，大家都知道是汽水，她竟要求別人換沒汽的芬達。」多放幾十年，可能就沒汽了。

「她是一個自尊心極強的人，不喜歡別人幫忙，從不承認錯誤，只相信自己。而且她其實不太會英語，只是在逞強。有次想找人幫忙問路，或是跟旁邊的人聊天，她說我是矯情的人。」

我嘆氣：「不如你退出吧！你在委屈自己。」

「不能。先前都說過，要共同進退。」

事實上，與S相處好幾天，我很大程度上認同阿姨對她的描述。廣州阿姨會照顧同伴，又有好多話題分享，亦不厭其煩幫我拍照。她是個開朗、活潑的阿姨，我特別喜歡她，也心疼她被欺負。

「我今天跟你的聊天量是我過去一個星期開口出聲的總和。赫赤，跟你聊天，我做回真正的自己。」

醉一場在烏樹故里

死裏逃生後翌日，我們一起出發到烏樹故里（Ushguli）。那是一處歐洲人居住的最高處，背靠高加索最高峰 Shkhara。烏樹故里是上帝送給格魯吉亞人的秘密花園，讓人以為闖入了魔幻世界。聽著小橋流水聲，懶洋洋地趟在草床上。活力充沛的太陽溫柔地照料那片綠草如茵的大地。雪山靜悄悄地甦醒起來，開始擁抱著那與世無爭的古典碉樓群。陽光打在阿姨掛著笑容的臉，人如其名——其實她叫笑笑。

我們進入其中一間木屋，本打算坐下喝杯咖啡，最後變成「頂酒」。木屋裏有一個年輕男人，從我進來後，一直跟我揮手。他給我照片，原來他是在雪山幫我拍照的路人。格魯吉亞人熱情奔放，他朋友請我喝格魯吉亞國飲。除了享負盛名的紅酒，還有不能錯過的 Chacha，一杯酒精濃度至少有四十度以上的烈酒。我不好意思拒絕。

「不喝過 Chacha，別說來過格魯吉亞。」這烈酒特別好，滑到喉嚨也毫無灼燒感，只是喝完渾身氣勁，「卜卜」加速。無人能戰勝 Chacha，不知不覺地我也醉了。笑笑說我不會喝：「你要放些鹽巴在手背上，用舌頭掃走所有鹽，再一口氣喝下去，爽！」她真會喝！最後我喝了五杯，第六杯讓她喝。烏樹故里突然朦朧得帶點虛幻。接下來，就是在車上昏迷兩個小時，完全沒知覺。再張開眼，我已經在旅舍的床上。謝謝笑笑的照顧。

後來，我們出發前往毗鄰黑海的城市巴統。我們一行三人，加兩個英國男走路到一家青年旅舍。我跟兩個英國男約好住同一間四人混合間。我問笑笑：「你們要跟我一起住嗎？」

「我要看她的決定，她硬要找另一所旅館。」

S 自己出去找旅店，找了快一個下午，而我跟笑笑已經逛完巴統。

精彩的格魯吉亞菜

「她不喜歡嘗試當地食物，而我很想體驗當地文化。」

我帶笑笑嚐試我最喜歡的格魯吉亞菜。「你知道嗎？我走了三個月，終於能在格魯吉亞吃飽。格魯吉亞菜是被世界遺忘的料理，肯定勝過阿拉伯菜和印度菜，絕對是我心中的五強。」

我帶她先吃 Aijirian Khachapuli，你不會想像到一個生蛋芝士麵包也能成為國菜（其實菠蘿包也是香港代表）。吃前，要先把生雞蛋和厚重的芝士混在一起。吃一口，芝士百重奏，再沾上蛋汁，滿滿幸福感。我終於明白為甚麼格魯吉亞人不吃 Pizza，果真比下去。

格魯吉亞菜別樹一格，跟鄰近國家的菜系截

然不同。經典的伊朗菜和土耳其菜只是烤肉，俄羅斯菜味道單一，可格魯吉亞菜跟某些中國菜類似，著重燉和蒸。尤其是他們的Khinkali（蒸羊肉餃子），把餃子上下倒轉，執著餃子頂部，咬破外皮，吸啜裏面的精華，不得了。不像印度菜十幾種香料混在一團，格魯吉亞菜的調味複合且具層次，好像格魯吉亞雞湯，頂層是泡沫狀，軟綿綿的，底層的湯頭濃郁香甜，口感厚重，絕對感覺到是真材實料，而非用水開粉的湯。許多歐洲人認為格魯吉亞是數一數二的東歐菜，此言實在非虛。為甚麼香港沒有格魯吉亞菜！

回去旅舍以後，笑笑決定回去廣州，不繼續旅程。她覺得S我行我素，不在意旅伴的感受，擔心如果自己置身困境中，對方有機會不顧而去。我本來打算帶笑笑一起走東歐，

不過中國護照簽證的問題，實在沒辦法。我們在格魯吉亞中部庫塔伊西（Kutaisi）分道揚鑣，我教她如何坐巴士去第比利斯機場，我就在這裏搭飛機去立陶宛。盼望笑笑回國後，忘記不愉快的回憶，記住跟我一起行山的時光。有緣再見。

ÄRA PARGI
VÄRAVA
ETTE.

謝謝路上遇見的人——東歐篇

29

我的五歲立陶宛媽媽

三個多月旅程，橫跨歐亞大陸，在沒計劃的情況下，我踏進了東歐波羅的海。在伊朗庫爾德時，沙發主邀請我到一個立陶宛朋友的婚禮，後者建議我如果到了格魯吉亞，可以考慮順道過去其母國。這件事一直記在心裏。就這樣，清晨五時，我離開了格魯吉亞，來到這片色彩的汪洋——立陶宛。

在我腦海裏，立陶宛只出現在中學歷史教科書上的《凡爾賽條約》。她一戰後建國，後被蘇聯吞併，如此，立陶宛成為我旅途上第七個「蘇維埃」。立陶宛朋友介紹了好友沙發主收留我，並來機場接我。「你好嗎？累嗎？」「謝謝，一切安好。但此刻不敢相信自己來到歐洲。我是來自遠東的。」

立陶宛的維爾紐斯（Vilnius）就像盛裝的少女。楓葉丹紅，秋葉金黃，色彩濃淡相異，爭妍鬥麗。市內楓林盡染，金粉灑地，

立陶宛首都維爾紐斯。

讓我懷疑天主不小心打翻了水彩盤，形成這片五彩斑爛的海洋。此情此景提醒我原來已經十月了，時間過得真快。

一天六餐媽媽味道

沙發主要上班，把我留給母親「照顧」。母親是典型東歐女人，藍眼金髮，雖然年屆五十，但風華未逝，素顏時清雅脱俗。我接下來與母親生活三天。她照顧我起居飲食，一天六餐，把我養得肥肥白白；她教會我享受生活的態度、跟我聊蘇聯時期的生活，又大談各自的心事。你是我的 "Регина мама"（俄語意思是「親愛的媽媽」）。

她端出紅米飯糊，放一杯凍牛奶在旁，教我先含一口飯，再喝一口奶。出乎意料，兩者口感和諧融合。媽媽再放一碟自釀甜桃在枱上，陽光從簾縫間照耀著，我把光芒四射的甜桃放入口，甜在心頭，是母親給孩子的味道。後來，我去了午睡，再醒來已近黃昏。母親只會俄語和立陶宛語，用 Google Translate 寫了一句：「你錯過午餐了！非常不健康。」我像小孩子一樣，只好低頭微笑吐舌頭。

沙發主下班回來，帶我去咖啡廳。「許多立陶宛人有嚴重的酗酒問題，引致一連串惡果。獨留兒童在家、在大街大巷跟別人吵架，甚至開槍自殺。」原來，立陶宛是全世界自殺率最高的國家。別以為歐盟國家就沒有嚴重的社會問題。

翌日大清早，陽光穿過百葉簾來喚醒我。睜開雙眼，望天花板，總擔心現在身處香港，幸好，我還在維爾紐斯。我睡眼惺忪走到飯廳，發現枱上放了一碟極邪惡的半融芝士滑蛋，亦有媽媽自釀的蒜頭酸瓜，配多片麵包。母親又教我「立式」食法，先吃一口滑蛋，再咬一口麵包。「這是立陶宛人吃早餐的傳統嗎？」「把滑蛋塗在麵包上非常浪費時間。吃一口滑蛋，再咬一口麵包；吃一口飯，再喝牛奶。其實在你的口腔裏已經混合一起。」（根據母親的身體語言所翻譯。）

我兩母女今天計劃去維爾紐斯舊城逛一圈。全世界的母親都擔心自己孩子吃不飽，穿不暖。她找了一件我在香港肯定不會穿的大紅色針織衣，又吩咐我戴上電單車手專用的真皮手套，還有母親溫暖牌手織襪一對。來，起行啦！我們一起乘坐巴士到市中心。電子化系統、自助投幣箱、巴士上木無表情的乘客，提醒我已經離開了中亞，也就是我回去現實的時間愈來愈近。我再沒有引起注意的魅力，要習慣沒被集郵的日子，此刻只有母親才會放注意力在我身上。

我們來到雪白簡潔的維爾紐斯天主教堂，進入那莊嚴的教堂大廳，母親買了數支蠟燭，遞我兩支，大概要我許願。我想起香港媽媽，硬要帶我到黃大仙廟燒香拜神。那時，我還是個基督徒，母親要我向黃大仙下跪，祈求我高考別全炒。不過，今天我大學畢業了，要祈求甚麼呢？只好向天主祈求兩個母親身體健康，還有繼續走在追求夢想的路上。我們閉上雙眼，雙手合十，阿門。

母親易累，走數百米就要停下休息。我們路經一個金粉滿天飛揚的公園，陽光把這片金黃大道照亮，秋葉的橘黃令人治癒。放慢步伐，欣賞身邊的一草一木。一杯Cappuccino，一排朱古力，媽媽說這是最完美的配搭。我們好好享受此時此刻，這是歐洲人的生活態度。我在想，多久沒陪伴香港母親逛街？

如果我住在別人家超過兩天，又或者突然心情好，都會親自下廚，弘揚赫赤料理。招牌菜一定是可樂雞翼，最喜歡看到外國人目瞪口呆的樣子：「可樂能用來煮雞翼嗎？」一對，保證一試難忘。我煮過無數次，慚愧的是，從來沒讓香港母親嚐過。

這邊的爐火不夠猛，我炆了足足兩小時。幸好，母親幾乎把全部雞翼掃進肚裏去。我老懷安慰，並把赫赤版可樂雞翼食譜傳授給她。

我把心和胃留在這裏

第三天，陽光再沒衝進房間喚醒我。母親不讓我出去，我就幫忙做點家務。我發現立陶宛跟之前蘇聯國家的舊式住宅格局類似，後來去了俄羅斯朋友家，發現這絕對是前蘇聯特色。他們的洗手間和浴室是分開的，避免家人爭用洗手間。最有趣是洗手間放了地毯，又在牆上安裝迂迴曲折的管道，可能是熱水爐氣管。他們會把洗好的衣服掛在管子上，即使在濕凍天氣下，衣服掛一晚就乾。

可能母親怕悶壞我；可能因為我讓她看過吉爾吉斯外婆生日派對的照片，她怕失禮；又可能因為我跟沙發主説過「你的伊朗好友説立陶宛菜是世上最劣食的料理」，媽媽今天煮了六餐，我基本上沒離開過飯廳。沙發主説「應該是母親的問題」，對，立陶宛媽媽煮得出色，我願意放下我的胃在立陶宛。

早餐是忌廉班戟配自家製藍莓果醬。午餐是複雜的菜式，把阿塞拜疆式雞湯雪凍成啫喱，再配蛋黃醬。咬一口麵包，吃一口啫喱。這道菜是繼塔吉克的烏克蘭式豬腩肉後，印象特別深刻的一道菜。

我向她展示伊朗的照片，她感覺很新奇：「伊朗不危險嗎？」「不！而且很有趣。伊朗女人喜歡整容豐唇豐胸，意想不到吧！」母親聽完後，走回房間，塗了鮮紅唇膏。再走回飯廳，先用手托一托胸部，再一個瑪麗蓮夢露飛吻姿勢，「是這樣嗎？」害得我差點噴出咀嚼中的啫喱。

一整天，我們像啞巴一樣，一直用翻譯器溝通。我問媽媽：「你是否經歷過蘇聯的統治？以前生活好嗎？」

我邊鯨吞雞湯啫喱，邊等她打字：「以前的生活比現在好。」

「居然？願聞其詳。」

「以前有退休金，甚麼都是免費。所有東西

雞湯啫喱。

薯仔雞湯。

都是均等，我們擁有同規格的電視和家具。人人平等，財富平均，沒有紛爭。另外，每個人都必須上班，否則會被拘捕。現在好多人懶惰，不上班，靠社會援助金。許多人無所事事，就不斷飲酒打發時間。我不喜歡戈爾巴喬夫，他毀掉一切，他只是個收受外國利益的賣國賊。」

事實上，從中亞四國走過來，訪問過大部分經歷過蘇聯統治的人，大家都喜歡懷緬過去，認為過去的日子比現在快樂。他們異口同聲認為戈爾巴喬夫只著重個人利益，直接導致蘇聯解體。

讀萬卷書不如行萬里路，旅行最有趣的事情總是出乎意料之外的文化衝突。從歷史教科書上了解，我以為大部分人會強烈反對社會主義而擁戴戈爾巴喬夫。原來許多人喜歡過去的生活，認為現今物質主義至上，人們只講利益而變得冷漠。

「你希望重回以前的光景嗎？」

「我會懷緬，但習慣現在擁有的權利和自由了。」

不知何時扯至大家的感情事。「媽媽，你怎麼沒有丈夫？」

「早年離婚，後來我認識了前度男友，拍拖好幾年又變回單身了。單身快樂！我一個人邊看電視，邊吃可樂雞翼，再送白酒。何樂而不為？」

「一個人旅行令自己變得強大，我也再質疑為甚麼自己需要男人。」

「你是個聰明女生。你還年輕，你的人生才剛開始，不必過早思考婚姻。單身很好，做自己喜歡的事。」

沙發主回來了。他見我們手舞足蹈，滑稽地問：「為甚麼我家多了兩個五歲和三歲的小女孩？」

五歲女孩說：「要是她會俄語的話，我們肯定聊至三更半夜，聊足三百六十五天。」

我會為你學俄語的！你要等我，我會回來。

30

千杯不醉的意大利朋友

離開沉悶的拉脫維亞，坐上旅遊巴直衝愛沙尼亞首都塔林（Tallinn）。其實我還未決定這晚去向，平價青旅床位賣光了，也未得到任何沙發主邀請。波羅的海人不如中亞人熱情好客，我真的好不習慣。我唯有主動向每個沙發主發信息，最後只得到一個答覆。他是Fred，是當學術研究工作的意大利人，現在成為我最要好的歐洲朋友。

煮一碟正宗卡邦尼意粉

"You save my life from the cold street!" 我對 Fred 感動流涕地說。

"Welcome to Hong Kong refugees' apartment." 扭開門鎖，傳出熟悉的港式英語，原來Fred收留了一對香港情侶沙發客。

他鄉遇同鄉，鼻子莫名奇妙酸起來。他們兩人在澳洲工作假期時認識，一起工作，後來一起環遊世界。「夫妻相」是對他們最好的形容。不是所有背包客都像我大癲大肺，他們文質彬彬，散發沉穩氣質，極少在旅途上吵架，成為我心中的模範情侶。久違的港式黑椒炒通粉，女朋友煮了一碟家的味道。他們翌日就離開了，約好香港再見。

Fred 大姊是個意大利大廚。在他面前煮意大利面，簡直是關公門前耍大刀。

"You are Mr. Kwan. Now I show you my knife." Fred 盡得我真傳，數天就學會幾句廣東話俚語。

我虛心學習，請教他最正宗的卡邦尼意粉。Fred 説每家煮法有異，但肯定沒有忌廉，原來平時在香港吃的都不正宗。他先燒水，他指好多人以為煮意粉不用下太多水，但其實太少水會令意粉粘成一團。然後他把意粉包裝打開——不是用手撕開，而是向雲石撞一下，包裝「啪」一聲打開，意粉卻未斷，帥到我目瞪口呆。下一步就混合好蛋液、黑椒和適量鹽。好多人都把熟透的意粉轉移到平底鍋再炒，他就把熟透的粉先瀝水，利用意粉的餘溫與蛋液融為一體，喜歡的話還可以加煙肉粒，如此就不用放鹽。"You put your money in my pocket. Thank you!"

Fred 更教我如何辨別好芝士，雖然一時三刻還是學不會，不過記住了老芝士都是很碎，而芝士配蜜糖是最完美的吃法，跟立陶宛媽媽的朱古力吃法異曲同工。歐洲人真的很會享受。

臭味相投　以酒會友

與男人喝酒，在我心中佔了很大的陰影面積，可是跟 Fred 一整晚就喝了四大杯手工啤酒，還有害我在格魯吉亞昏迷的 Chacha。他笑説愛沙尼亞啤酒太便宜，三歐就有一大杯，好多芬蘭人特別坐船過來喝酒，還未下船，就已經醉死了。事實上，果真有過芬蘭男人在船上喝太多就死掉了的新聞。

我們喝著酒，興高采烈地聊庫爾德。Fred 跟我一樣特別喜歡庫爾德人，已經到訪過土耳其和伊朗的庫爾德區，未來旅行目標是去伊拉克的庫爾德自治省。我們臭味相投，也為庫爾德人的情況感到可惜。他指：「土耳其政府從前歧視庫爾德人，就像對待亞美尼亞人那樣，壓迫他們，甚至幾乎種族清洗。土耳其的政府不會直稱他們為『庫爾德人』，會稱他們為『山人（mountain man）』，帶著歧視的意味。這也是為甚麼土耳其被拒絕加入歐盟。」我們互相嘆息，卻無能為力。

跟 Fred 一見如故，滔滔不絕。這晚，我跟他和盤托出內心的恐懼，特別提到在伊朗的性騷擾。誰知，他又跟我分享：「我在伊朗伊斯法罕時，被沙發主帶到森林，那時候我也被性騷擾。」

「嘩！連男人都搞。」我們哭笑不得，過去

不堪回首，一笑置之。

「不過，旅行家會有洞察力。我相信你現在很容易嗅到危險的味道。這種力量是難以向別人解釋。」

「對對對！我一個女生去印度，好多人問我怎麼沒被人強姦。姑勿論他們口臭，或者認為我魯莽，其實作為旅遊人，對每件事情都有分寸，例如肯定不會晚上流連酒吧街。而且，我一直認為伊朗比印度危險，可是一直有人湧去伊朗，難道我要説他們魯莽嗎？其實，首先這是傳媒塑造某國形象的問題，令人聞風喪膽。其次是你對事物靈活的警惕性。在任何地方，打醒十二分精神是常識吧！」

雞煲的約定

Fred 向我提及在莫斯科留學的歲月，他形容那段日子是煉獄。在寸金尺土的莫斯科，他學生黨沒太多錢，住在市區的板間房，還要是碌架床，夏日炎熱難耐，冬天寒冷刺骨。離鄉別井打工的中亞人也是生活在如此惡劣的環境，私人空間狹窄，每天都不願回去。可他最後捱過去，更學會俄語。

「我吃過苦後，以後再苦的事情，亦能淡然渡過。感謝以前的經歷鍛練成今天的我。面對所有難題，冷靜下來，肯定找到解決方法。」

我形容這種是生命體驗的昇華。當我們每天不斷面對挑戰，已經學會從容面對。

我指著在烏茲別克拍的星空照：「每個人都有自己的煩惱。舉頭望天空，世界那麼大，宇宙浩瀚無比，怎容不下我一條煩惱絲？在外地吃過苦頭，日後生活再困難都會捱過。」

快天光，酒樽都變空了。他鄉遇知己的感覺令人亢奮得難以入睡。我們像失散多年的兄弟一樣，互相擁抱。

「你要是去意大利，提早兩個月告訴我，我帶你去鄉下，帶你吃豬血卡邦尼。」

「你一定要來香港，我帶你吃雞煲。」

差點燒了沙發主的家

翌日，Fred 回去研究所，我打算去買愛沙尼亞民族風毛衣。來到最後一星期，我決定做暴發戶。就在通往塔林舊城購物區的路上，碰見一群來自芬蘭赫爾辛基大學的大學生。她們是交流生，分別來自俄羅斯、美國和南非，見我一個人用三腳架自拍，就前來問我要不要幫忙。

「你一個人旅行嗎？」

「是的。」

「天啊！你幾歲啊？不怕危險嗎？」

「不怕。我二十二歲。」

她們非常驚訝，並向我取臉書號。

「如果你來赫爾辛基，要告訴我們，我會帶你逛逛。」

Fred 幫我拍的照片，特別漂亮。

結果，我後天果然去了赫爾辛基。當地沙發主爽約後，她們撿我回大學宿舍，又拯救了一條小生命。

我買菜回去，發現沒人在家，就煮飯給自己。Fred 的廚房設備齊全，餐具、香料應有盡有。事不疑遲，下油，把鑊燒紅，再爆蒜。中華料理最重要是鑊氣，怎料煙霧觸動了天花板上的煙霧探測器，持續發出震撼的響鬧聲，害我變成熱鍋上的小強。擔心鄰舍會報警，我一直自轉，如何讓探測器閉嘴？冷靜點，一定會找到方法。我先把所有窗戶打開，並踏著椅子爬高探個究竟。感謝上帝，探測器有關閉按鈕。我冒著冷汗下來，一直呼氣。突然門鐘響起，心臟快蹦出來。原來是 Fred 的室友回來。他沒察覺有異。

"How are you?"

"I'm not good. I almost burnt your house. The alarm was ringing while I was cooking the garlic. I'm afraid I would get the bad reference on Couchsurfing because of that."

室友啼笑皆非地說："I can imagine someone is doing the same thing and burns the host's house when couchsurfing. That's so funny."

事後當然可以一笑置之。我最後告訴 Fred，他說 "All is well! No problem la."

31

莫斯科的最後一夜

亞歷山大是我旅程最後一位沙發主，想不到蘇聯大哥成為我最後一站。

那天，我從聖彼德堡坐共乘車，上午七時正到達他家門口。晨早打電話擾人清夢，他下樓接我。回到家時，他沒太耐性的説：「你自便吧！我很想睡覺。」然後用力把門關上。那刻，我有點嚇倒。

中午十二時起床，我沿著濃郁的蕃茄味走入廚房，他叫我吃早餐。好的，他的語氣緩和了很多，還跟我微笑，我差點認不出他來。

我們一起外出，他為做我嚮導，來個莫斯科市區一天遊。從家裏步行至地鐵站時，我們聊聊馬克思；坐地鐵時，我們討論資本主義。我沒想過金融系畢業的他，會對社會學有如此濃烈興趣。

「其實我不明白為甚麼有些人不讀社會學的書籍。我們活在社會，就要了解這個社會，不多不少都要看看這些書。好多人一聽到馬克思就以為是惡魔，真的很膚淺。」亞歷山大說出我的心聲來。

他帶我來到紅場（Red Square），但我只顧著跟他聊天，忘了欣賞那裏的建築，若沒有拍照的話，恐怕早已忘掉其模樣。後來我們逛音樂學院，原來他在自學手風琴，而我告訴他會一點單簧管，不過已忘得一乾二淨了。所以，最後我們聊牧童笛，我小學曾拿過比賽冠軍呢。

來到烏克蘭餐廳。點完菜後，桌上有一張圖畫紙，上面有一隻大象。我塗上綠色，亞歷山大突然問我有否讀過哲學。「有，我讀過柏拉圖，讀過自我、超我和本我。」我們又滔滔不絕討論一些哲學話題。

感謝這一切一切

回家後，在廚房發現有水煙壺。我興奮得大叫，問他可以開水煙爐嗎？老娘在伊朗可是每天抽水煙。我們吸著水煙，品嚐著白酒，聊著前蘇聯的政治，又討論「宗教是人民鴉片」的話題。後來，他突然說「音樂時間」，取出手風琴演奏起來。我喝著白酒，從朦朧的薄荷香氣間欣賞著。

亞歷山大把手風琴交給我，捉著我手，按下每一個音符。他說：「真沒想到在沙發衝浪能找到一個會馬克思思想，也會一點哲學的人。」很理所當然地，他把鼻尖貼近我的臉頰。然而，我生怕自己的薄荷口氣攻擊到他那又尖又高的戰鬥鼻子，不爭氣的，輕輕推開他。黃燈細膩地為他的輪廓打燈，在那對晶瑩透綠的雙眼裏，窺看到紅粉霏霏的自己。我側著頭裝可愛：「不如我們念詩吧！」

亞歷山大念著俄羅斯詩集，我在念「床前明月光」，鼻子無法忍受地酸起來。

「我明天要走了！你知道嗎？一路上，認識許多我非常珍而重之的朋友，然後又要跟他們說再見。」

他放下手上的詩書，從後擁抱著我。

「不知道何時再見，又或許這輩子不能再見。他們無條件地幫助我，我們共享難忘的時刻。但我感到非常抱歉，我們以後不能再次相擁。」

亞歷山大默默地拭去我的淚水，把我擁抱在他懷裏。那是最後的溫暖。

我要回去了，謝謝這一切。

後記

一年半後的今天，我們各自走上截然不同的道路。

"Dear friend, how are you?"

哈薩克沙發主的紙藝作品得到關注，被邀請在當地藝術館展出，並繼續完成大學課程。

吉爾吉斯的 Kurman、白先生的姊姊和烏茲別克姊姊離鄉別井，到了土耳其打工。

阿塞拜疆的他在校內學業成績優異，得到獎學金到鄰國和俄羅斯當交流生。

塔吉克認識的韓國歐巴，在南韓出版了塔吉克攝影集，裡面有我們的合照。

最令人驚訝的是白先生。他最近結婚了，還有娃了。這些機會不是我的。

之後，我又去了一趟伊朗，跟閨蜜去旅行。

大部分伊斯法罕男人的頭腦，依舊是寄生在其他身體部位。

S小姐有了新戀情，新男友是前度的最好朋友，弄得滿城風雨。最後她向我傳授收兵秘笈。

從未有戀愛經驗、想法悲觀的庫爾德沙發主結婚了。現在的他更加積極向上，賺錢養家。可能下一年就會當爸爸，但他的太太好像不喜歡我。

哈佛大學畢業的伊朗女生獨遊了高加索和伊朗其他地區，她說是受我鼓舞。

我又走到伊朗北部的土庫曼區。雖然無法前往本國，但搜羅了許多土庫曼手工藝品，又認識到許多土庫曼朋友。我未來目標是要帶香港團友到土庫曼。

跟我一起趕火車的第比利斯情侶，最近成親了。

意大利朋友Fred來了香港兩次。我帶他去吃慈雲山雞煲，又點了雞子和豬紅，他表示喜歡。我又帶他與香港情侶（他們又快結婚了）見面，我們一起打麻雀。他精密的數學頭腦，用了短短三個小時，成功學會食出十三么。我託Fred幫忙帶手信給立陶宛媽媽。路上的人對我的恩情，我永不忘記。今年，Fred將搬到捷克繼續數學研究工作。

許多人因看不清前路而原地踏步。可是，固步自封是無法找到答案及改變自身處境。只有前進，你才能與目標更靠近，前路更清晰。

他們當年的煩惱，今天似乎都逐漸解決了，大家都找到一條通往羅馬的路。

我呢？我現在所擁有的機會和發展，全因當年的任性決定。我感恩身邊的朋友和你們的支持。

每個人的路都不一樣，你不必模仿我遊走這些未知國度，才找到心中自由的花。每人都有萬種方式，聆聽自己心裏最深處的聲音，了解自己最想成為怎樣的人，自我定義真正的成功。

你只需要對自己人生負責，做真正的自己，經已足夠。

"I'm fine, thank you"

朋友的話　赫赤不會告訴你的那些事

因訪問結緣，而兩兩結伴；出發前身邊朋友大多勸我別跟她到中東，說她浪漫主義，冷落我事小，一個人跑掉事大。果然，比我早到步的她被土庫曼男生迷住了，錯過說好在伊朗會合的時間。小事一樁，無礙我們在被窩中細訴網上謾罵的壓力，夜巴上談男生論理想，市集內揶揄奇怪的商品，甚至親密得共處一廁（是的，她梳洗我小解）。

一口氣讀畢她三十多篇遊記，讓我憶起年半前某個夜闌人靜的深宵，我就是這般地在被窩爬閱她的文章，一股勁一直爬至專頁底才肯罷休。彼時與嘉嘉素未謀面，更不知她會是我後來的閨蜜。然而，這女子使我最深刻卻是她寫給未來自己的一篇隨筆（她大概不知道）。那是我替她的電話備份時無意瞥見的文字。

「這時妳應該完成了自己某些夢想，請別忘了關心哥哥，別忘了曾幫妳一把的朋友，別忘了幫妳的朋友一把。」沒錯，跟她一貫霸氣麻甩的見聞判若兩人，但這個也是何嘉儀。

在此，讓我嘗試寫一個更立體的赫赤女孩。

記得有次，我興奮嚷著沙發女主人煮的羊肉意粉是這半個月來最美味的料理。語音未落，她便低聲耳語：「拿去吧！」，頃刻間將我剛吃光光的盤子與她原封不動的那份調包，然後一臉自若地把沙律夾到本來屬於我的空盤。在場六個人，沒一個知道我的「糊牌」被偷龍轉鳳。不誇張，她移形換影的技巧純熟得媲美賭場老千，一個不吃羊肉的老千。

這位老千行走江湖上已久，自然臨危不懼。在計程車終於一睹女漢子的氣概。司機開了個旅客價，只見嘉嘉侃侃而談：「你知道嗎，庫爾德以誠實友善聞名，如今你如此這般出爾反爾，實在讓庫爾德民族蒙羞！」天啊，這下子可糟！才貴了五塊港幣就將整個民族拖下水，車上除了我倆全是庫爾德人，她大概活得不耐煩。「要是這次他成功混過去，以後的遊客都會受害」，就憑她給這五塊錢的意義，讓我即使被揍也心悅誠服。

她的確果斷，但也冒失，亦挺麻煩。離開了粉紅清真寺十條街，才驚覺自己遺下攝影器材，我只好在伊朗大街捨命狂奔。倘若與她同床共枕，務必要注意安全，冷不防她的江湖腿一伸，就難逃被她踢落床的下場。她的美照滿有詩情畫意嗎？全都是旅伴靠中暑休克後飄飄欲仙的創造力，地動山搖都阻止不了她留影。

不曉得是我花光運氣來碰上她，還是她的霉運有腿會跑，年初獨遊老遇倒楣事。哪怕恁地，我實在無法為遇見她而後悔，也感恩認識她的母親、哥哥、朋友。她為人就是如此的不吝嗇，大方得連黑氣也要一起分，不過二人運滯總比一人黑氣蓋天好，唯一要投訴的，恐怕只有「凌晨兩點仍要陪沙發主跳舞」。

讓我們繼續形可離，影不離。

密友 Yanni

Travel 19

行走吧！旅孩

作者　赫赤（Kaka）
責任編輯　Raina Ng
封面設計　Kaman Cheng
書籍設計　Kaman Cheng
插畫　Kazy Chan（作者簡介）、Charlotte Tang（地圖）

出版　天窗出版社有限公司 Enrich Publishing Ltd.
發行　天窗出版社有限公司 Enrich Publishing Ltd.
九龍觀塘鴻圖道78號17樓A室
電話　(852) 2793 5678
傳真　(852) 2793 5030
網址　www.enrichculture.com
電郵　info@enrichculture.com
出版日期　2018年4月初版

承印　嘉昱有限公司
九龍新蒲崗大有街26-28號天虹大廈7字樓
紙品供應　興泰行洋紙有限公司

定價　港幣$108　新台幣$450
國際書號　978-988-8395-77-4
圖書分類　(1)旅遊　(2)文化觀察

支持環保　此書紙張經無氯漂白及以北歐再生林木纖維製造，並採用環保油墨。